活在喧嚣之外

雪漠 著

中国大百科全书出版社

图书在版编目（CIP）数据

活在喧嚣之外 / 雪漠著 .—北京：中国大百科全书出版社，2019.6

ISBN 978-7-5202-0514-6

Ⅰ.①活… Ⅱ.①雪… Ⅲ.①随笔—作品集—中国—当代
Ⅳ.① I267.1

中国版本图书馆 CIP 数据核字（2019）第 116094 号

出 版 人　刘国辉
策划编辑　李默耘
责任编辑　钱子亮
责任印制　李宝丰
出版发行　中国大百科全书出版社
地　　址　北京市西城区阜成门北大街 17 号
邮　　编　100037
网　　址　http://www.ecph.com.cn
电　　话　010-88390739
印　　刷　固安兰星球彩色印刷有限公司
开　　本　880 毫米 × 1230 毫米　1/32
字　　数　210 千字
印　　张　9.875
版　　次　2019 年 6 月第 1 版
印　　次　2022 年 8 月第 4 次印刷
定　　价　36.00 元

目录

上篇

世界是调心道场

下篇
生活是调心道具

上篇

世界是调心道场

一、生命与历练

1.

如何升华自己的生命

生命是一个巨大的幻觉，生也罢，死也罢，都是一种过去了就不复存在的记忆。可生、死仍然是非常重要的两件事。我说过，死亡是解脱的良机。那么生呢？如何在这辈子当中，升华自己的生命价值，让幻觉般的人生变得更有意义，这是一件跟死亡同样重要的事情。

那么，如何升华自己的生命？我在《西夏咒》中描写了一位叫作雪羽儿的西部女孩，她一辈子只做了三件事：

第一，孝敬母亲，做个好女儿；第二，跟成就者久爷爷学习绝世武功，仗义救人；第三，跟修行人琼一起，通过一种很像世俗中男欢女爱的修炼方式，共同实现了生命的超越，超凡入圣。做好第一件事的时候，她仍是个凡人；做好第二件事的时候，她变成了凡人中比较伟大的一类人；做好第三件事的时候，她整个生命的价值才真正发生了改变。为什么呢？因为在第三个阶段，她成了圣者，成了一种伟大精神的载体，她的慈悲也罢，智慧也罢，在她生命状态发生了质的改变时，才真正变成了能够点亮无数人心灵的火炬。而此前，她只是一个善良、坚忍但势单力薄的女子，在命运中身不由己地浮沉。

当然，并不是所有人都要以雪羽儿的方式实现超越，也不是所有人都能以雪羽儿的方式实现超越。每个人的路，都不太一样，其中的影响因素很多，或许有某种说不清的东西，但更多的，一定是每个人每分每秒中做出的选择。

我总是说，一个人的心决定了他的选择，他的选择决定了他的行为，而他的行为最终构成了他的命运。明白这句话的时候，你一定会明白，命运其实很简单，它就是你每个选择的组合。你当然不知道自己的选择什么时候能够让你到达彼岸，你甚至不会知道你这辈子能不能到达彼岸，或者，能不能走得更远一些。但你一定知道，每分每秒的选择，一定会影响你的生命质量，让你在这幻觉般的人生当中，活得更有意义，拥有更高的生命质量。这意味着，你首先要为自己设定一个参照系——你这辈子要做什么，你要成为一个怎样的人？然后，生命时空中的每一分每一秒，你都牢牢记住这个参照系，以它作为你选择的坐标。坚持你必须坚持的；舍弃会对其产生负面影响，或者是与之无关的东西。

当你做到这一点的时候，就会发现，世界和人生好像变得比预想中更简单了。它只是一道又一道的选择题，或者说，它是一场巨大的游戏：点击A，你会去到这个地方；点击B，你会去到那个地方；点击C，你又会去到一个截然不同的地方。你会发现，自己似乎具备了一种在一定程度上掌控命运的能力，因为世界的脉络突然变得清晰起来了，你需要去完成的，仅仅是擦亮自己的眼睛，平静自己起伏不定的情绪，就是这么简单。

但是要做到这一点并不容易，很多人终其一生，都是情绪的奴隶。他们总是画蛇添足，将事情变得越来越复杂，但因此遭遇失败和某种伤害的时候，他们却又不愿意承认这只是自己的选择出了错，而宁愿把所有的罪状都推到别人的身上。是什么驱使我们总是在人生的不同阶段上演这样的故事？是欲望，是无知。好多人总是不明白，不管他怪责自己也罢，怪责别人也罢，所有的结果都只能由他自己承担。所以，我们不妨把所有的埋怨、恼怒、不甘与受伤都放下，像看一出电影那样，忘记当时的好多情绪，简单回顾到此为止的这段人生。你会看到，人生中的好多选择，都明摆着会导致后面的一些结果。为什么自己当初会做出那些莫名其妙的决定呢？为什么自己总是不断把自己扔进各种各样的困境当中呢？因为欲望总是蒙住你的眼睛，看似真实的幻境、你的记忆和记忆所导致的好多情绪，也总是让你看不见事情真相，看不见一组又一组的选择与结果当中那简单明了的联系，也看不清世界的真相。

最有趣的是，虽然你现在看这本书，或者反思你的人生时，总是能够轻易发现其中的谬误，可一旦再次面对相同的事情，面对相同的诱惑，你又会做出与往常一模一样的决定。这又是为了什么？因为你明白的好多道理，根本不足以改变你的身心对事物做出的本能反应。这就像一个人饿了自然想要吃东西，一个人看到美丽的东西自然想要多看两眼一样。你身体的反应总是比你的逻辑更加迅猛，所以你无法完全控制自己的心灵，你的心并不属于你，它是欲望的奴隶。

那么，难道人只能对巨大的现实缴械吗？当然不是。我在《白虎关》和《西夏的苍狼》中，就描绘过几位美丽的女子，她们有一个共同的特点，就是不愿屈服于命运。她们或以一己之力与命运抗衡，或改变自己的心，然后随顺因缘。改变心灵之后的随顺因缘跟随波逐流是大不相同的，前者是一种智慧，后者则是一种软弱。想要体会到这一点，想要实践这一点，你只能把生命化为一个巨大的道场，然后用一种清醒的眼光来观照你的生命，在生命时空的每一分每一秒当中，验证你心灵的状态，挑战你的无知、欲望、傲慢、愤怒、嫉妒，挑战一切把你扔进不能自主的命运当中的那些东西。渐渐地，你的心就会改变，你的命运也会改变。

在此之前，你的所有准备，就是一颗不愿堕落、想要向上的心灵，一颗有所向往、懂得自省的心灵。其他的一切，都没有你想象中那样重要。

2.
苦难的诗意

《大漠祭》出版之后，好多媒体报道了我儿时的事情，人们看了之后，就觉得我的童年过得非常艰苦。但这都是他们的感觉，我自己并没有感到怎么的苦，我感到的反而是一种巨大的幸福。因为，当一个孩子看不到另外一种生活的时候，他的心中不会形成苦难的概念。

世人眼中的苦难，是欲望得不到满足之后的失落，或者别的一种东西，它们都是因为对比而形成的。比如，当一个孩子看到别的孩子可以吃冰激凌，但自己吃不上的时候，他就可能感到了一种苦难；当他看到别的孩子可以玩变形金刚玩具，但自己玩不上的时候，他也可能会感到一种“苦难”。当你心里不存在一种落差的时候，“苦难”的感觉是不存在的，那么生活中实际上就不存在什么苦难。好多东西都是这样，你觉得有，实际上它只是一种感觉，是一种幻象似的东西。你被它蒙骗之后，就觉得自己确实是那样的。事实却并不一定如此。

对于一个身心健康的孩子来说，苦难这个概念是不存在的，他心里只有一种快乐，而且是一种大快乐，因为他没有任何欲望，他仅仅是在享受生活中的好多东西。比如，得到一个很小的玩具、骑着马奔驰、捕捉到蝴蝶，或和村里的大姐姐一起偷偷把土豆烧熟了吃，这些时候我都是非常快乐的，这样的快乐回忆还有很多。所以，童年在我的印象中没有什么苦难，也没有他们说的什么艰难、艰辛的东西。我的童年里，充满了非常快乐、非常富有诗意的记忆。

这种快乐，现在城市里的好多孩子可能都体会不到，因为他们的身上承载着家长们太多的期待。这些期待，大多是家长自己无法满足的欲望，而这些欲望，最终都会转嫁到孩子身上，变成孩子自己的欲望。当一个孩子的心中有了欲求的东西时，他本有的赤子之心就受到污染了。他就再也不可能拥有一种快乐、诗意的童年了。

什么叫赤子之心呢？它很像佛家所说的“平常心”。

一个孩子在非常天真的时候，是没有任何分别心的，从这一点上来说，它很像一个人通过修行消除所有二元对立之后，所达到的一种平常心状态。不过，当你消除所有二元对立的时候，是不会被世界上的好多东西动摇的，但是赤子之心却会受到污染。所谓的受到污染，就是一个人开始有了分别心。分别心是痛苦的一个主要原因。当一个孩子心里没有这些东西的时候，他是非常浪漫的。他面对这个世界，就像面对母亲一样，始终在灿烂地微笑着。他不觉得自己有什么精神或者物质的东西，他也不管充实还是不充实，他没有这些概念。我们心里的好多概念，其实是一种人为的、理性的东西，并非源于自然。当你消除所有二元对立的时候，就会变得像孩子般天真，但这种天真不是一种无知，相反，它是一种直观智慧的产物，这种智慧里面没有概念的痕迹。现在的好多人，心里都充满了各种各样的欲望。一旦一个人的心中产生欲望的时候，他就会感到空虚、失落、痛苦，形成诸多苦难、厄运、逆境之类的概念。天真的孩子之所以活得非常快乐，非常自在，非常任运，就是因为他的心里没有这些东西。他面对这个世界的时候，是非常淳朴的，他的心灵是一颗没有受到任何污染的童心。

但我的童年确实不像城市里的孩子那样，拥有好多东西。我的父母不识字，也无法为我创造很好的学习环境。

很小的时候，我就去当牧童，每天牵着村里的枣红马，到湖湾里放牧。因为家穷，我在最该读书的年龄，却读不到该读的书，因此欠下了太多的文学营养。直到十五六岁时，我到城里读书，才能找到一些书，然后拼命地补充一个文学青年成长为作家所必需的营养。那个时候，我的衣袋里老装着背诵用的卡片，上面写着好多古诗古文。我利用走路的时间，背会了几百首唐诗。十九岁参加工作的时候，工作环境依然很偏僻，十分闭塞，我整天就浸泡在庸碌里，身边都是一些混混一样的人。那时候，我最怕的事情，就是自己会像“狼孩”那样，被环境熏染成一个混混，庸庸碌碌、毫无意义地走完我的一生。我身边有好多自命不凡的文友，但他们都在不知不觉中失去了自我，变成庸碌的细胞，满足于蝇营狗苟。所以，为了避免被环境同化，我留起胡须，以示警诫。同时，我从吃、穿上面挤出钱来，用以购书。我明白，只有大量读书，才能使我超越闭塞的环境，不被同化。幸好有了那些书，能经常跟书中的大师们“交流”，我才拥有了学问和智慧，超越了生存环境，写出了一些值得叫人去读的书。

我走过的路，证明了一个人即使没有很优越的生活环境，没有很好的学习环境，他仍然可以有大出息，重要的是他选择以哪种方式来度过他的人生。假如他满足于安逸、享受和许多世俗的消遣，让这些东西填满他的生命，那么他就很难超越自己，很难让自己达到一个很高的境界，成为一个能够令人有所向往的人。

当然，我所说的很高的境界，是指一种智慧的境界，而不是拥有好多物质的东西。有一些富翁，他们拥有如山的财富，但他们没有智慧，也缺乏慈悲，他们睡着高床软枕，吃着山珍海味，心里却充满了欲望、恐惧和痛苦。假如有一天，财富忽然离开了他们，生活中的一切突然分崩离析，或者说他们再也承受不了那种无形的压力，他们就可能会跳楼自杀。

所以说，一个人一生中能飞多高、看多远，不是命运加诸他的，也不是社会加诸他的，而是完完全全取决于他做出的选择。他选择了一条什么样的路，他就会走上一条什么样的路。如果他明明想要另外一种东西，却又不肯走上一条能够将他引向那个东西的路，那么他就永远都走不到终点，就是这么简单。

好多时候，人的生命，就是一场修炼。不管你能不能意识到这一点，它都不会改变。当你非常积极、非常精进地面对这场修炼时，你心灵的升华，就会使你的命运发生改变；当你非常消极，满足于一点点小小的成绩，或者总是妥协于内心的许多欲望、懒惰、愤怒等令你向下的东西时，你就会像那拉磨的驴一样，沿着命运的磨道兜圈，怎么走，都走不出一种魔咒般的欲望所构成的轮回。

3.

生命是一根绳子

我跟别人不一样的是，我一直知道这辈子该做什么。我在小说《大漠祭》里专门写到过一些东西。什么东西呢？我在很小的时候就发现了的死亡。

乡下人的死和城市人的死不太一样，乡下人的死是生命中的一件大事，跟结婚一样。在乡下，亲人们会为死者举行一种很隆重的仪式，我们叫发丧。发丧现场，常常会有很多花圈，有各种纸糊的物件，有很多非常隆重的仪式，比如道爷的超度等，全村人都在欢送死者，陪他走完人生中最后的一段路。

在西部，这种发丧的仪式也是一种庆典。因为，在西部人眼中，人活一辈子就那样走了，是值得庆贺的事情，因此西部人把死亡当成“白喜事”——结婚是“红喜事”。这种似乎有悖于常理的观点，跟西部的传统文化密切相关。西部文化认为，人这辈子仅仅是走过了一段桥，他还有很长的路要走，要经历无数的桥。这就是佛家所谓的轮回。西部人认为，人死后会以另外一种生命状态存在。

很小的时候，我看见人家发丧，就开始思考“死亡”的问题。我发现，人一旦死去，好多东西就不再属于自己，财产也罢、房子也罢、老婆也罢，都是这样。一辈子积累下来的财富归别人了，房子归别人了，老婆改嫁了，孩子也会随着改嫁者走掉，他存在过的证据便随着这些改变蒸发得一干二净。好多人的生命，都如苍蝇飞过虚空一样，留不下任何东西。发现这一点的时候，我就开始追问活着的意义：既然死亡不可避免，那么我们如何在生命的过程中，留下一些死亡带不走的东西，留下一些死亡毁不了的东西？后来，我就发现，只有文字，只有著书立说，也就是所谓“三不朽”中的立功、立德、立言，才可能实现相对的不朽。我不能立功，但我可以立德和立言，于是我就想修行和写作。

当然，写作也是我的梦想。很小的时候我就想当作家，这仿佛是与生俱来的。所以，我很早就开始收集素材，有意识地进行一些文学训练。其实，孩提时代的梦想，就是上帝给你的使命。但是好多人步入社会之后，就忘记了自己的梦想。因为，诸多世俗的东西把梦想给掩盖了、冲淡了，他没有去坚守自己内心的一种东西。如果一个人能用整个生命去实现童年时代的梦想，他就肯定会成为大家。这是很少有例外的。

在实现这个梦想的过程中，我放弃了许多人们趋之若鹜的东西。比如，我在武威教委工作的时候，曾经非常穷，穷得都快吃不上饭了，所以教委的领导就想给我一些帮助，让我去开一个教学用品公司，赚一些钱，但是我断然拒绝了。因为我觉得自己这辈子不是来赚钱的，我不想把宝贵的生命时光用在做生意上面。后来为了生活的需要，我还是开了一间书店，那间书店很赚钱，可一旦收入足够一家人的生活所需时，我又断然把它转让给别人了，这仍然是因为我不希望自己宝贵的生命时光被浪费在赚钱上面。《大漠祭》出版之后，我在家乡的影响已经超越文学圈子，进入了民间，老百姓都知道我。在他们心中，我是一种抹不去的存在。在这种情况下，挣钱是比较容易的，比如说我可以招生、办班。老百姓很愿意把自己的孩子交给我，因为他们也知道，孩子们从我身上学到的东西，绝不是书本可以教给他们的。我带给一个孩子的，可能是一生的影响。但是我尽可能地不去做这些事，仍然尽量将全部的生命都用于创作。这是为什么呢？因为写作是我为众生服务的一种方式，我写出来的那些书，或许可以让更多的人得到一种灵魂的清凉、快乐，得到一种智慧的东西，这种东西，可能会改变他们的一生。这是我更愿意去做的事情。

不过，我舍弃的，还不仅仅是金钱，还包括一些常人眼中必需的享受。在四十岁之前，不闭关的时候，我每天早上三点钟起床，四十岁之后五点钟起床。一般起床后的两三个小时全部用于坐禅，然后开始坐禅或写作，一直到中午十二点。以前，我在外面单独住，没住在家里，中午的时候，我才回家吃饭，下午修改作品，或者搞一些采访、处理一些事务，晚上读书，雷打不动。闭关的时候，是完全封闭了。一天坐禅四座，每座三小时，雷打不动，禅修中间再写点东西。好多亲戚朋友都骂我不近人情。有些不理解的人，也会在背后说一些坏话。但我不在乎。生命对于我来说太宝贵了，因为它只有一次，我不能为了别人的几句好话而浪费它。所以，别人不理解也没关系，反正我也顾不上在乎。

在武威的家中，我的房间里放了一个人的头骨模型，它是我的警枕。每当我看到它，就仿佛听到它叫："死亡！死亡！"它总是在提醒我，死亡随时随地，都会降临到我的头上。所以，我每天给自己打的考勤，是以小时来计算的。那头骨老是提醒我：要珍惜生命！

生命是一根绳子，就那么一点长度，浪费一截，就少一截。闲事上用多了，正事上就不够用了。我的好多朋友和亲戚都说我不近人情，原因就是我不愿意在交际应酬上多花时间。有的人不理解，他们认为，人生非常短暂，为什么非要把自己弄得那么累呢，为什么不能趁活着多享受一下呢？我告诉你，就是因为人生短暂，生命无常，你才更要抓紧活着时的每一分每一秒。因为你永远都不知道，自己下一秒钟是不是还活着；你永远都不知道，自己有没有足够的时间做完那些生命中最重要的事情；你永远都不知道，生命的长度是不是足以让你实现梦想。

每个人的价值都将定格在他停止呼吸的那个瞬间：如果他临死前是个小人，那么他就会以一个小人的身份死去，他再也没有机会做一些让人更尊重他、缅怀他的事情；如果他临死前庸庸碌碌，从来没有为别人做过一些什么，也没有活出什么不一样的东西，那么他就会无足轻重地死去，很快被世人遗忘……每个人都是这样。当你不甘心自己就这样死去的时候，你就应该在健康地活着时，多做一些你该做的事。或者升华心灵，从一个小人，变成一个君子；或者追求梦想，留下一些能为他人所称道的东西；或者为他人服务，成为一种善的载体。能在健康时明白这些东西的人，是幸运的，因为他的人生无疑会更有质量。人生中的好多悲剧，就是因为不珍惜生命才会发生的。如果一个人临终时才发现这一点，但他已经失去了所有的时间和机会，那么这将是他一辈子都无法弥补的遗憾，这遗憾，也许会深深地嵌入他的灵魂深处，伴随他进入下一种生命状态——假如你相信真的有另外一种生命状态。

4.

成长的营养

在我的成长经历中，母亲对我影响很大。她是一个十分要强的人，从来不屈服于生活。我很小的时候，她就一边教我们干农活，一边给我们讲故事。我永不屈服的性格就来自母亲。即使在最困难的时候，我也没有失去过信心，我从来没有放弃过追求。我最喜欢的一句话就是："没有失败，只有放弃。"这是除了生命之外，母亲送给我最好的礼物。

我很小的时候，就被丢到一个巨大的麦田里割麦子，毒太阳晒着我，过一阵我就会流鼻血，遍身流汗，觉得自己马上就要死去。我那时候就想，我不能这样活着。我的爷爷这样活着，我的父母这样活着，我的弟弟这样活着，我却不想再这样活了。所以，我必须闯出一条路来。在闯这条路的时候，我是决不妥协的。我可以不穿很好的衣服，可以不吃很好的食物，但我必须选择自己的生活方式。再穷的时候，我也不在乎钱。我始终认为，你可以不给我涨工资，你可以侮辱我，你怎么样都行，但你不能剥夺我修行写作的权利。当你想把我变成一个机器时，我绝不同意，而且会抗争。但无论方式如何，你都要明白一点，当一种外力和邪恶对你的人生追求形成干扰时，你必须反抗，不能妥协，否则，你可能会一事无成。我的这种要强，就来自母亲的影响。

此外，对我影响最大的是凉州贤孝。小时候我读不到什么书，听凉州贤孝是我最早的艺术熏陶，它直接影响了我的一生。我曾经在某次访谈中说过，如果没有贤孝的熏陶，也许就没有《大漠祭》《猎原》《白虎关》的问世。它在我动笔之初，就决定了我的未来。

贤孝是一种曲艺，自春秋战国到解放大西北，对这几千年的历史，贤孝都有相应的反映。它由盲艺人“瞎仙”抱着三弦子，边弹边唱，或散文叙述，或韵文抒情，其音乐古拙质朴，如泣如诉。离开家乡的日子里，最令我激动的，就是“瞎仙”为我录制的贤孝音乐。我常常能从嘣嘣的弦音中听出黄土地的呻吟和父老乡亲的挣扎，一种浓浓的情绪常使我泪流满面。写《大漠祭》的十余年里，贤孝的旋律，常萦绕在我的心头。在苍凉、悠远、沉重、深邃、睿智的贤孝声中，我走出了小村，走上了文坛。那弦音里苍凉的枯黄色，已渗入我的血液，成为我小说的基调之一。

贤孝的叙事方式和托尔斯泰作品很相似。它直接进入主人公的心灵，以描写生活画面为主。它的风格很古朴，也很优秀，是典型的现实主义叙事方式。它非常形象地描写了主人公看到什么，想到什么，里面还有许多民俗性和文化性的东西。它不仅仅是在讲故事，里面还包含了一种中国古代的智慧，而且这种智慧打上了典型的凉州烙印，从而影响了凉州的民俗风情和民众心态。它艺术价值的丰富程度可以与敦煌学媲美，但直到今天它的价值仍没有被世人发现。敦煌变文中的一些内容就和凉州贤孝很相似，但凉州贤孝更完整。我是贤孝艺人的弟子，我也会唱一些贤孝。其中有些片段，小时候听到时我就感到很惊奇，比如邻居之间、亲戚之间互相捣弄是非，等等，老百姓居然关注这些东西。后来它启发我写出了《大漠祭》中的一些片段。贤孝艺术中甚至有许多和《红楼梦》很相似的内容，比如对吃喝玩乐的描写很是细腻，这一点在西部文化中间显得很独特。西部以粗线条的东西为多，但贤孝艺术却很细腻，很具艺术观赏性，包括一些诸如做衣服或是男女之间“维朋友”（凉州话，意为交朋友）之类的日常琐事。而且，凉州贤孝中间，有许多内容和敦煌宝卷很相似，比如《吕祖买药》。其中含有许多佛道文化的东西，但它不是传统的那种佛道文化，而是一种被凉州人用凉州式思维解释的佛道文化。或许正是因为这种文化的熏陶，武威一直相对和平。从古至今，为文字所记载的几千年来，武威从来没有爆发过农民起义，这样的现象在世界上都很罕见，它很值得关注与研究。

非常遗憾的是，随着一批批民间老艺人的去世，凉州贤孝最终会被岁月淹没。每一个老艺人带走的，可以说是一部活的历史，因为贤孝是以口传为主，没有文字记载。所以，我一直把握各种机会，写了大量的研究文章，尽量向外界介绍贤孝。2006年，凉州贤孝被列入第一批中国非物质文化遗产，同年10月，美国KTSF26电视台采访我的时候，我特意组织了一场大型贤孝演唱会，使老艺人们的演出通过媒体走向了海外。但可怕的是，我在2012年8月回家乡时，凉州贤孝已从凉州文化广场上消失了。那儿有幅巨大的剪报，上写《重拳出击彻整文化广场乱象》，那些贤孝艺人就叫那“重拳”赶走了，据说是影响了凉州形象。可见，我的努力能不能改变贤孝的命运，并不是我可以控制的，但我仍会做我能做的事情，那就是尽力去做我该做的事。

为什么我要说这些话呢？因为我想告诉你，要懂得发现和珍惜生命中一切有益的营养，包括一些世人眼中的磨难，一些世人认为难以面对、难以接受的东西，把它们都看成财富，看成心灵的滋养。要做生活的有心人，要懂得珍惜和感恩，不要对一些哪怕很细微的东西视而不见，但也不要让它们成为枷锁和镣铐，限制你心灵的自由。要明白，生命是个巨大的道场，只要用正确的心态面对这个世界，用智慧的眼光观照你的人生，你接触的一切，你经历的一切，就都会变成令你成长的营养。所以佛家说，浊世即净土，烦恼即菩提。明白这一点之后，就放下埋怨，放下愤怒，放下顾影自怜，细心品味、欣赏你的人生，汲取人生中有益的营养，让心灵之树茁壮成长，总有一天，它会参天的，而你的生命舞台，也将因此而变得非常精彩。

5.
寻找生命的太阳

想要还原清净心，就必须先知道什么是清净心。所谓清净心，是清净无染之心，是无求之心，是空寂灵知之心。所有人在妄念止息又俱足觉性的那一刻，都会见到这颗清净心。好多人以为自己见不到，其实是因为他无法认知，主要还是没有在生活与工作当中保持警觉。不过，你是不是真的明白了清净心，会不会对其产生某种误解，走入某个误区，这是只有上师才能为你印证的事情。他为你印证的那一刻，你便获得了代代相传的心印。

所以说，想要找到清净心，你首先就要找到生命中最重要的明师，即是你生命中的善知识。没有善知识，便没有开悟的可能。真正的大善知识，是能让你开悟的那个人，他便是你的“根本上师”。赵州和尚八十岁还在行脚，就是为了找到能令他开悟的善知识。

广义来说，一本好书可以是善知识，令你有所感悟的也可以是善知识。但我们这里说的善知识，则特指为你点亮心灯的人。假如你找不到明师，光是看经书、大德传记，或是持咒观想，倒也可以，但意义很有限。一来因为画饼难以充饥，画上的烛光，无法照破你心灵的黑暗，更无法告诉你正确的觉受；二来要是没有传承的“线路”和

“电流”，灯泡就不可能发亮。所有的知识，包括你道听途说的一些法门，都是为了指导修行；没有修行，就无法变成你的生活方式，那么所有的知识都意义不大。找到你生命中的善知识，你才能求得自己最为对机的妙法，才能开始修行。所以，真正的修炼，应该从寻找善知识开始。

怎么样才能找到你生命中的善知识呢？你要多处参访，择其善者而从之。所谓善者，便是能叫你更明白、更慈悲、更清凉者。但你不要受那外现的蒙骗。海沉香贵比黄金，但在愚夫眼里，跟烧柴一样。密勒日巴在愚夫眼中，也是个光着身子的穷老汉。就是说，你不要去管他的世俗身份是画家、作家，还是乞丐、农民工，只要能让你明白，他就是你的上师。世俗的身份并不重要。当然，你还必须对他有信心。佛不度无缘之人，这个缘，也就是信心。信心就是“资粮”，它是你修道路上必不可少的东西。真正的资粮，就是对上师拥有无上的信心，视其如佛，破除我执，达到用生命供养也无悔的程度，做到荣辱由师尊，死亦不退心。就是说，连死亡都无法使你的信心退转。而且你的这种信，必须要体现在行为上，不仅仅是作意。

当然了，在寻找善知识的时候，切忌心急，一定要好好观察对方，选择证得究竟成就的善知识。如何观察呢？你要看跟他在一起的时候，你是更善良、更明白、更慈悲、更向上呢，还是堕落破戒、欲望加重？还有一种方法是，你可以观察他的行为，看他行为是利众，还是自私？也可以观察他身边的人，看看他们是向上、明白了，还是向下滑，变得越来越贪婪、无知？如果是后者的话，就要毫不犹豫地离开他，不要在他身边逗留，不要让他用他那些充满了欲望的东西来污染你的心灵。记住，近朱者赤，近墨者黑。

如果你实在观察不到对方的情况，那么就不要轻易拜师，宁可耐心等待更为恰当的机缘，也不要皈依一个骗子。假如你找到了一个能令你清凉向上的明师，就要放下所有疑虑，净信他，当你心中对他产生猜疑或者别的什么不好的想法时，要忏悔，然后仍然净信他。当你对他有大信心的时候，多有殊胜的见地或是觉受生起，那么你就会知道，他是你生命中最重要的那位导师。在此之前，你可以积极积累资粮，时时自省，深入经藏，等待殊胜因缘。

当你找到一个真正的明师时，你首先就要皈依他。什么是真正的皈依？放下所有对自我的执著，心向往之，行效法之，像一滴水融入大海那样，这就是皈依。真正的皈依，是行为上对上师利众精神的效法，没有行为，就没有皈依。而没有皈依，便没有信仰，不叫信佛。你还要明白，善知识是你心灵的依怙，你要以他为生命和行为的范本。尤其是根本上师，也就是为你开示心性的那位上师，他是真正的大善知识，依止他是你生命中最重要的事情。每个人生命中真正的大彻大悟都只有一次，所以根本上师也只有一个，一定要专一。即便因为时间、地理的关系，你不能时常聆听他的教诲，也要将他作为生命和灵魂的标杆，时时以他为参照，校正自己的行为，升华自己的人格。同时，你要向他求那对机之法。真正的对机之法只有一种，并不是越多越好。如掘深井，瞅中一处，精进用功，才可成功。在所有法中，上师相应法是最好的法。因为上师如电脑，弟子如硬盘，信心是数据线。只要机缘成熟，成就易如反掌。

如何分辨一个人是不是真的与上师相应，得到了上师的无上加持？你可以看他行为上有什么改变。没有行为，就没有大善。口头上的善，只是在欺骗自己。行善而不言善，可能是大善；口言善而无行为，则是欺世盗名。

我在《真心——心学六品》中说过："崇拜诸神祇，一颗奴才心。佛菩萨和善知识仅仅是指路者，不要把解脱的希望寄托在别人身上。"那么，应该怎么理解上师的重要之处呢？你要明白，将解脱的希望寄托在别人身上，就是心外求法。不要这样做的意思是，要放下外物，好好活着，专注于内心的明白和清凉。不要盲目狂热地崇拜心外的所谓神佛。这世上，拯救你的，永远是你自己的明白和觉醒。而上师，则是指引你明白和觉醒的光明。好多人顶礼膜拜满天神佛，甚至以这种心态来看待上师，为的是用信仰的铜板换来健康、快乐、富裕之类的东西，这属于迷信。而对上师的“信”，应该是一种智信。我举个例子，你依仗火把的光明穿越黑暗的隧道，但你始终要明白，火把不能保佑你走出黑暗。让你走出黑暗的，是你自己的脚步。你要沿着那光明的方向，一步又一步，踏踏实实地走路，不要急躁，坚定信念，坚持下去，便会有正信且有定力。有一天，当你资粮俱足的时候，上师自会为你开示心性，那时，你才能开悟，进入真正意义上的修行。

可惜的是，有的人虽知道善知识的重要性，却迟迟不将寻找付诸行动。他们不知道，生命就在呼吸之间，稍一迟延，便成隔世的糊涂之鬼。生命经不起等待。但只要你真正地开始“找”，也就开始了修行。

6.

信心的达成

我常说的信心，分为三个方面：第一，坚信自己是佛；第二，视师如佛；第三，相信修炼佛法能够成佛。就是说，你对自己、上师、佛法都要有信心。这种信心从何而来呢？从实践中来。你要脚踏实地地依照上师的教法而修行，慢慢地，就会拥有一种体验。体验是信仰最好的保证。一块顽铁，只有在进入磁山之后，才有可能被磁化。单纯的学而不练，没有多大的意义，望梅是很难止渴的。

找到善知识之后，想要保持对他的信心不退转，也可以多诵《上师法五十颂》，学之，思之，行之，久久便得大益。其中所有的内容，都在教你如何打开智慧之门。因为，真正敬师者，才能敬自己的灵魂。没有一份大信，是不可能得到大力的。从本质上来说，他力——如上师的加持、传承中的加持力等——虽然是客观存在的，但也是信心的产物。没有信心，便没有他力。信心的自力和他力的相应共振，才会和合为更大的力。二力和合时，方能相应。当然，前提是你必须遇到真正的具德上师，要是遇到骗子，就像“空瓶注水”，他虽有注水的姿势，你却啥也得不到。关于这一点，我曾在一次网络访谈中随机写过一首偈子：“雪山静立而无心，朗日大照而有情。有情无心相融时，觉性空性并不分。”这首偈子的意思是说，诸多的加持与其说来自根本上师，不如说是来自那三昧耶誓约。单纯的一方，没有对机另一方的话，是不可能有殊胜加持的。

有一次，一个学生问我，为啥佛不度无缘之人？这难道不是一种分别心吗？我告诉她，所谓缘，有时就是你的一种选择。我举个例子，我说今天有空，大家可以来聊聊天，但一些人选择去别处游玩，你却选择来我这儿聊天。那么，你的选择就构成了一种缘，这种缘，就促成了我们的这次交谈。所以，随缘度众不是分别心，而仅仅是一种不强求的智慧，也是对众生的一种理解与尊重。这就像我不可能到街上随便找一个人来说这番话，也不可能强迫一个不愿自救的人去叫醒灵魂一样。这是他们自己的选择，我尊重他们的选择。

一次网络访谈上，有个网友问我，如果一个人还没有俱足信心，能不能用大礼拜、布施等方式生起信心呢？我告诉他，信心也可以用大礼拜或是其他方法——如四加行——来培养，不过这显然是个悖论：你没信心，便不会去拜师；但你不拜师，就可能永远没有信心。所以，假如你想上求佛道的话，就仍然要拜师，这是你做出的一种选择。当你做出这个选择的时候，就构成了一种缘。因此我才说，心有所欲，便是机缘。许多人在一见师的瞬间，就俱足了无伪的信心。有信心者，才会对机。相反，无信心者，总是会对佛书中的一些描述产生怀疑，即便知道“信为功德母”，也总是不能说服自己去相信佛法的真谛。这是一种所知障，它也障住了你的光明心。比如八难之一的“世智邪辩才”，就是不会有正信的。要去除这种顽固的习气，需要长期如法的修炼。假如你找到了上师，并且每天按上师的教授如法如量地去做，便可积累资粮，建立坚固信心，直至有一天明心见性，然后开始真正进入修道。因此，有人问我怎样对上师三宝生起坚固的信心时，我回答他：“修，苦修，再苦修。”这也是密勒日巴送给弟子冈波巴的最后一个殊胜法教。

不过，真正的信心，并不是一般人眼中的信心，相信上师说的话，也并不等于就对他有了无伪的信心。因为，我们所说的“信”，不是世俗的“信”，而是一种源自清净心的“信”。这种“信”是无求的，是拒绝机心、崇尚天然的，它就是心性的用，而心性则是“信”的本体。没有“信”就看不到真正的心性，那“信”正是心性的体现。所以，修道之始，应先解疑，再谈别的。疑不除，便不可能生起信心，不可能得到智慧。这就像两个人谈恋爱，你如果对自己的爱人没有一种深入骨髓的信，总是半信半疑，便体会不到他的爱。你总会下意识地观察一些细枝末节的东西，不断猜疑他，以这种猜疑来保护自己。殊不知，这种“疑”，伤害的不是别人，正是你自己，还有你们之间的这份感情。这也像一个人看文章，总是下意识地寻找文章中的错别字和语病，而不去体会文章中的营养，结果啥也得不到。上师与弟子之间也是这样。假如你对上师保持一种半信半疑的态度，甚至对他阳奉阴违，你就没办法得到他的无上加持，更不可能开悟。信心就像一条光缆，可以传送内外上师——本有的真心，便是你的内上师，也是你真正的上师，而能帮你认知真心的人，就是你的根本上师，他属于外上师——之间的信息。没有信心，便没有一切。所以我才说，“月在天心正皎洁，但净凡心莫相疑”。

当你俱足无伪的信心，并且在修行途中不曾失去它，那么你心灵的小树就会慢慢长高。假以时日，它就会长成参天大树，为更多的人带来清凉。因为，好的种子，只要有好的土壤、水分和阳光，它就总会发芽、开花、结果的。

那么，为什么禅宗又说“大疑大悟，不疑不悟”呢？因为这里的疑，并不是怀疑，而是一种思考，这种思考的过程，属于追求真理前的寻觅阶段。当一个人走到高处时，看到的东西会更多，疑惑可能也就会更多，比如对生活意义的寻找，对生命价值的迷茫等。这些问题会促使你对心灵和灵魂发起叩问，一旦你发起叩问，并且开始寻求答案的时候，你就会向真理走近。假如你对人生没有任何的追问，就很难进入这个灵魂追索的过程。

7.
向往的力量

细心的读者一定会发现，虽然我总是在说，任何人都能成为一个优秀的行者和作家，但实际上，我分享的所有经验，都是在告诉你如何成为真正的人。写作，只是生活与世界沟通的一种方式。它很像是一个更适合我的杯子，我用它装满了我的智慧之水，然后把它端到与我有缘的读者面前，为他们的心灵解渴。而你，你可以找一个跟我一样的杯子，也可以另找一个跟我不太一样的杯子，科学也罢，艺术也罢，音乐也罢，都行。只要你把自己的心灵化为智慧的水源，你喜欢用什么样的杯子来装水，都无所谓。你一定要明白，比杯子更重要的，是里面的水。

所谓杯子，就是社会、科学、文学、艺术等我们称之为“世间法”的东西，当你仅仅拥有一个空杯子的时候，它只能让你产生一种有条件的快乐。而信仰的目的是让人产生无条件的快乐。也就是说，自己的心灵本来就很快乐，不需要借助任何条件来令自己变得快乐。其他的快乐，你要达成它，就必须首先实现各种条件，比如金钱、物质、社会规则、社会认可等诸多东西，只有信仰所产生的快乐才是属于自己本有的快乐，是心灵的快乐，是心灵明白之后的快乐，不一定需要外部的物质条件。

让人明白的途径有很多种：一种是直接讲道理；另外一种就是通过艺术的形式来传播真理。这个时代，艺术就是个杯子，能够承载那种让人变得快乐的智慧之水。你完成了一个又一个能为更多人所接受的杯子，就能让更多的人品尝到这种快乐。我的文学，像《西夏的苍狼》《西夏咒》和《无死的金刚心》等作品，就是这个杯子。当然，我的文学也是水。就是说，智慧之水可以随缘化现为任何东西，其中也包括文学形式本身。

我说过，真正的文学，应该成为人类文明、进步和幸福的助缘，应该为人类提供积极的灵魂滋养，因为更高意义的幸福取决于心灵的明白与否。当一个农民头枕土块香甜大睡时，一个千万富翁可能正要自杀。当人类日渐陷入狭隘、热恼、贪婪、嗔恨时，真正的文学精神和人生智慧，应该能为我们带来清凉。能为我们带来清凉的文学，才是智慧之水的化现。

许多时候，一种文化的发掘和一种精神的弘扬确实是人类的福音。如耶稣之传道，如佛陀之觉悟，它们是暗夜里的电光，每每划破长夜，警示世人。那耀人眼眸的智慧和爱，是人类历史上最美的风景。我们敬畏它，向往它，而我们的每一次向往，都会剥去心灵的污垢，使其焕发一份本有的光明。

我们很难想象，若无基督的“博爱”，西方会是怎样的场景？若无孔子“仁”的滋养，古老的中国已走向何处？我们的文学也应该从这种古老而又鲜活的智慧中汲取养分。它们提供给我们的，定然也是足以让我们灵魂安宁、大气、慈悲、和平、博爱的养分。

我在《初心》一书中写道：“你可以擦开大眼，望那遍布世界的硝烟和杀戮；你可以打开电视，望那被恐怖和暴力弄残的幼儿躯体；你可以放眼四顾，去追问失去灵魂殿堂的人们；你可以凝神静气，去搜寻热恼自己灵魂的贪婪。无疑，你，我，他，都需要一股清凉的风，需要一晕智者的笑，需要一抹安详的超然，需要一份含蓄的包容。能给予你这一切的，非金钱，非权势，非物质。那养分，来自我们延续了千年的文明。当贪婪烧去我们的清醒，当欲望毁坏我们的宁静，当生命需要另一类营养，当世界需要别一种光明，我们都应该将放飞的眸子收回内心，叩问一下自己。许多时候，叩问自己，就是叩问历史，叩问命运。”

真正的文学，真正的文学精神，应该具有这样的力量。但事实上，作家如果不具备一种足以让他与外部世界平等对话，甚至抗衡的强大心灵力量，而被外界与自己的许多欲望所左右的时候，他的作品就没有力量。他可能仅仅是在玩弄某种技巧，进行某种表面化、片面化的诠释，因为他只能不断地重复自己，重复着那么一点点小小的东西。但我从来都不是这样的。同济大学有个文学硕士说，从雪漠的第一部小说到最新的小说，你可以不喜欢其中的任何一部，但你不可否认的是，它们每一部都是一个独立的精神世界，是一个个自由喷涌的鲜活生命。雪漠不是在以不同的形式复制自己，也不是在精神上重复自己，他的写作不是一种苍白的、单调的、情绪化的释放，而是一种生命诗意的尽情宣泄。

为什么我能做到这一点，而不为欲望所左右？因为，我非常明白自己这辈子是干什么来的。在一些必要的思考之后，我已经明白了一个人如何才能实现生命真正的价值，也明白了既然生命总会走向死亡，一个人又为何辛苦地活在世上。

我常常用两个标准来衡量一部作品：第一，这世界有它比没它好；第二，人们读它比不读好。假如一部作品确实达到了这两个标准，那么，这世界因为有它、人们因为读它而发生的那些变化，就是它的价值。这个准则，用在人的身上也同样合适。我举个例子，假如一个人写了一本书，读过这本书的人都变得更善良、更有爱心，而且他们不但善待亲人、朋友甚至陌生人，还把这种善的信息传递给身边的所有人，使那些人也变得更善良、更有爱心，那么写书的人就为人类、为世界带来了一种善的影响，这种善的影响就是这个人的价值。这也是《金刚经》等经典之所以千年后仍为无数人所传诵、佛陀之所以涅槃千年后仍为一代又一代人所敬仰的原因。这就是个体生命所能实现的最大价值。

也许这种价值不能让你拥有宝马车，不能让你住上别墅，也不能让成千上万人对你俯首称臣，但是它能为这个世界创造一种善美的东西，这种东西会超越肉体而存在，会影响无数人的心灵与灵魂，甚至影响这个世界。这世上一切都会像梦幻泡影般飞快消逝，包括宝马车、别墅，也包括那些或许会对你俯首称臣的人，只有善美的精神不会消失，它会随着人类的存在而一直存在下去，它才是一个人真正值得追求的东西，这也才是世界对人最大的回报。

你只有明白了这一点，才会明白文学真正的意义、艺术真正的意义，也才会明白，怎样的人，才算得上是真正的人。

8.
托起生命之舟

有的人很想实现自己的价值，但他们未必明白什么才是自己真正的价值，这个价值可以有多大，其坐标系又是什么。我举个例子，假如你的坐标是一个家庭的话，你的价值，就是你为家庭贡献的那些东西；假如你的坐标是一个群体的话，你的价值，就是你为这个群体贡献的那些东西；假如你的坐标是一个民族的话，你的价值，就是你为这个民族贡献的那些东西；假如你的坐标是一个世界，那么你的价值就是你为这个世界做出的各种贡献。总而言之，你的价值，就是你的行为，是你为某个对象贡献的那些东西。

为什么有的人非常博大？因为他的价值坐标系，并不仅仅是一个小小的家庭、一个小小的群体、一个小小的民族、一个小小的国家，他的坐标是整个人类、整个世界。他所做的一切，都是为了利益整个人类，为了给人类带来一些好的东西。所以，他的价值就会非常大。比如佛陀、孔子、苏格拉底，等等，这样的人，才真正称得上伟人。

我从来都不认为成吉思汗、拿破仑这类人是伟人，因为他们的坐标仅仅是一个民族、一个国家，他们会为了自己民族、自己国家的利益，去伤害别的民族、别的国家。他们就像是一具健康躯体上的癌细胞，自己变异的同时，也吞噬和异化着那些健康的细胞，让整具躯体走向灭亡。人类之间的纷争也是这样。所有的恐怖活动也罢，战争也罢，利益纠斗也罢，伤害的都是整个人类的利益。而人最可悲的一点，就是“一叶障目，不见森林”。假如我们能摆脱欲望与无知的蒙骗，看清楚自己行为的荒谬以及这种行为的必然结果，那么整个世界都必将美好与和平许多。可惜，大部分人都不愿意正视这一点。这就像一个人明知吸烟、酗酒很可能会导致自己患上不治之症，但我们总是忘记这一点，仅仅因为我们想沉浸在烟酒带来的愉悦与虚幻的快乐当中。所以说，悲剧的产生，源于自甘堕落与放纵。

外物带来的一切快感，都是虚幻不实的东西。在心外求快乐，在心外求富足，最终总会迎来失望、失落，因为世间一切都在飞快变化着，没有什么能够永恒。比尔·盖茨一定是看透了这一点，才会捐出自己所有的财产成立了一个基金会，帮助那些需要帮助的人，因此他获得了许多人的尊重。他确实是这个时代的伟人，是一个真正具有菩萨精神的人。为什么这么说？因为他放下了物质财富，将一辈子赚来的血汗钱，变成了社会的共有财产。这时候，你再去讨论这个基金会是不是完全的公益慈善，是没有任何意义的。因为他为社会带来了直接的利益，他为世界创造了巨大的价值，他比他的财富或社会地位都更加伟大。他之所以能获得这样庞大的财富，或许正是因为他博大的胸怀，因为他以世界为坐标的价值衡量体系。西方的学者专门研究过一个课题，叫作《历史上最伟大的赚钱秘密》，里面说道："如果一个人一直为他人的利益服务，甚至这种善行已经成为他下意识的习惯，那么宇宙中所有的善的力量都会汇集到他的身后，成就他的事业。因为除了布施，再没有任何声音可以更为洪亮地向宇宙宣示你的自信、富足和爱。""而当宇宙听到的时候，更多的美好会加赋予你——不是作为奖赏，而是因为你真正地相信你自己的富足和爱。""布施时间，你将收获时间。布施产品，你将收获产品。布施爱，你将收获爱。布施金钱，你将收获金钱。""所有的富人都会布施，我觉得不是这样，而应该是说，所有布施的人都会成为富人。"可见，比尔·盖茨的富有，正是因为他有一颗愿意布施、想要为世界带来善美的心。所以说，真正的富足和幸福，源自心的富足与心的幸福。

当你有了一颗博大的心，就自然不会将所有的注意力都集中于个人的得失上面，你会希望自己的存在能为这个世界带来一些非常好的东西。你会知道，这个世界记住你的唯一原因，就是你的附加值。当然，你未必在乎这个世界是不是会记得你，因为名字也是一个幻觉，但你必然需要一个活着的意义。面对死亡与困境的时候，你必然需要一个为之努力的理由，找到你存在的理由。然后你会发现，那理由就是利众，就是让这个世界因为你的活过而相对好了一些。从前，你心中的世界也许仅仅是你自己，或者你的家人、你的朋友、你的情侣、你的民族、你的国家等，但慢慢地，随着你心灵的日趋博大，你心中的世界也会变得越来越大。你的坐标将是全人类，而不仅仅是哪个群体和民族。你明白，人类是一个整体，不是个体。不管他们是什么肤色，什么国籍，讲的是哪里的方言，他们都是一个跟你没有任何本质区别的人类。他们也会经历生老病死，他们也有父母妻儿，他们失去亲人的时候也会感到痛苦，他们受到伤害的时候也会愤怒、恐惧，他们身体里流淌着的，一样是鲜血，他们或许也有尚未完成的梦想……如果你的心灵足够博大，你的视野足够高远，那么你就无法对人们的眼泪、痛苦、悲惨命运视而不见，因为你的心中自然会有爱。那是人性本具的东西。而心灵渐趋博大的“附加作用”，便是无限放大了这份爱，让它超越亲缘与血缘，渐渐遍及整个宇宙。这时，你与外部世界之间，便不再是一种较量的关系，而能够相互理解。当你能够真正理解他人、理解世界、理解整个宇宙运行的规律时，你便自然超脱了欲望的控制，你便会慢慢活得自主、坦然，你的生命也将变得不同。这一切，需要你从一点一滴的利众行为做起，而不仅仅是想想、说说而已。

真正的利众，要从身边做起，从现在做起，从你我做起，从当下做起。有的人认为，我现在没有那么多的钱和时间去布施，那么就等我有了这个能力再去行善。事实不是这样的。虽然利众精神有时需要以物质的方式展现，但它主要还是体现在心上，不一定完全体现于物质。比如，我的上师司卡史德最初是个一贫如洗的六旬老妇，但在全家以乞讨度日的情况下，她仍将家里所有余粮都供养给一饥饿至极的僧人，后来她得遇胜缘，以垂老之躯，返老还童，证得幻身之德。所以说，当你真正有了一种利众的念想和志向，便自然会有利众的行为，不管这行为是以什么样的方式体现。而所谓的伟大，似乎很难做到，但有时说起来也很简单，那就是在想到自己之前，多想想别人。如此一来，便自然利众。

二、灵魂的叩问

1.
找到你活着的意义

好多人在经历亲人的逝世或者其他苦难的时候，会发现生命中的一切都是不可靠的，这时候他们的心底会产生一种虚无感，觉得人生本身就是一个巨大的虚空，一切都没有意义。有的人甚至会因此而认为，人应该像下山的石头一样，过一天算一天，没有任何念想，不去追索，不再叩问，简简单单地活着，然后简简单单地死去。但也有人不满足于这种毫无意义的活。

当一个人不满足于这样的活时，他就会开始寻找一种活着的意义——这种意义不是一个简单的道理，不是别人能告诉他的东西。为什么呢？因为别人告诉你的一种意义，那是别人自己的意义，而不是你活着的意义。只有你自己通过一种灵魂的追索，真切感受到一种可以影响生命体验的意义时，你才真正找到了能够坚守一生的大意义。

但你不要去管这个意义是不是客观存在的东西，是不是本有的东西，你不要去管这些。在灵魂的追索当中，任何思维和逻辑的东西，都是妄念编织的蒙眼布，它们会掩盖你内心真正的渴求。一个人在达到一种终极自由的时候，才不需要一种活着的意义，因为他再也不会丢失自己活着的意义，那意义对他来说，变成了呼吸一样的东西，这个时候，他的活便是意义。在你达到这种境界之前，仍然需要为自己设定一个活着的意义，它会像远方的灯塔一样，用那微弱但强大的光明，陪伴你度过无尽的黑夜，指引你在黑夜中前行。总有一天，在它的指引下，你会走出黑夜，走向光明。

能够在年轻、健康时找到活着的意义，是一种幸运。因为这样一来，你就可以为自己争取更多的时间，实现你的价值。什么是一个人的价值？人的价值就是自己做过的事。人的肉体可以在一场地震之后消失，但人的善行承载的利众精神，却会传递下去，照亮一个又一个未来的灵魂。生命就像是水泡，说不定啥时候就会消失，所以要珍惜生命，在有限的生命里，尽可能多做一些有益于世界、有益于人类的事情。

活着的意义可以多种多样，这是一个人自己对生命的一种理解、一种解释。当你拥有这样一种解释，并且这种解释能够影响你的人生，使你的人生变得更有质量的时候，你才会成为一个真正的人。人生中真正的悲剧，就是一个人不知道自己为什么活着。不知道自己为什么活着的人，是没有盼头的。没有盼头的人，不是真正的人，仅仅是个混混；没有灵魂主宰的文明，也不是真正的文明，仅仅是一种混混文化。这种文化，对世界没有任何的益处，它只能带来欲望、堕落、痛苦、无知，绝不会带来清明、觉醒、安详与快乐。当然，我所说的这种盼头，无论具体内容是啥，其本质都应该是利众的，要不它仍然不能算是一种盼头，而仅仅是一种披着盼头外套的欲望。当你向一种欲望化的盼头走去时，你就会堕落、痛苦，得不到解脱，无法实现生命真正的价值。

有时候，信仰也是一个人活着的意义。把信仰视为活着的意义时，人就会活得安详、明白，他不会有大的痛苦。不过，我所说的信仰，并不是一种迷信，而是智信，是一种真正的信仰。其中，信是渴望寻觅，仰是接近升华。信仰不是要让一个人牢牢地抱住痛苦，抱住回忆，抱住不可改变的过往，而是让一个人要放下，在放下的同时，重塑灵魂，升华自我，完成一种自我否定后的重建，完成一种打碎之后的升华，这才是灵魂真正的蜕变。建立这样一种真正的信仰，需要从消除自私与执著开始。

当然，执著于活着的意义，执著于利众精神，执著于实现自我升华，这也是一种执著，但它不是我们所反对的执著。我们反对的执著是什么呢？是对贪嗔痴的执著，是让我们堕落的执著。而向上、向善的执著，是一种精进。这精进就像是孙悟空头上的金箍，没有它，就拴不住不服管束的猴心。我们那颗充满欲望的心，就是不服管束的猴心，它看似自由奔放，实际上是欲望的奴隶，是情绪的奴隶。如果一个人甘愿成为欲望与情绪的奴隶，无论他知道多少道理，都改变不了他堕落、痛苦、庸碌的命运。所以，当一个人在这种命运中越陷越深的时候，他不该叩问上天为啥这么不公平，他该叩问的是自己的心灵：为什么我要屈服于欲望，为什么我要屈服于情绪？为什么我不能主宰自己的心灵？

这到底是为什么呢，为什么人总要自己折磨自己？因为我们总是无法接受“变化”。然而，无论你愿不愿意接受，“变”都是生活的本来面目，所有失去和得到的东西，它们都不会永恒。一个人不想痛苦地活着，就必须看透这种真理，然后淡然处之，守住当守的根本，随顺生活，随顺时代的变迁，不要以为执著可以阻挡这“变化”的洪流，不要以为自己不肯放手就可以不放手。要明白，大的改变是无常，有得必有失，有聚必有散，有生必有死，有福必有祸。万物离不开生老病死、成住坏空。小的改变要从自己的“心”上找原因，别老是埋怨世界。比如，有的人在爱情上面受了挫折，伴侣移情别恋，离开了自己，他们就怨天尤人，责怪命运与爱人对自己的玩弄。但是他们往往忘记了一个非常简单的道理：要是你真的值得人爱的话，你赶都赶不走你的爱；要是你不值得人爱，你锁也锁不住你的爱。感情如此，生活如此，工作如此，整个人生都是如此。假如每个人都真正明白这个道理，整个世界就会相应和谐许多。

2.
美丽人生，始于寻梦

历史上许多伟大的人物，都说过这样的一个词：梦想。梦想是一个非常美的词汇。但在这个时代，或者说，在整个人类历史上，真正找到自己的终极梦想，而且始终为之奋斗的人，并不多。

有一些年轻的朋友说：“我们这代人，大多是没有梦想，也没有信仰的。我们中的大多数人都找不到自己的梦想。有人问我有什么梦想的时候，我就会很彷徨，很迷惑。因为我自己也不知道答案，我找不到这样一个问题的出口。”其实，这是个永恒的问题。从人类存在开始，这个问题就一直存在于大部分人的心里。那么，怎样才能找到自己的梦想，怎么才知道，自己找到的梦想，到底是真正的梦想，还是某种欲望呢?

要弄清楚这个问题，你首先必须有个追问。追问什么呢？追问自己活着的理由。谁都有活着的理由，不管这个理由是什么，它都决定了一个人这辈子为什么而奋斗，这辈子要走一条怎么样的路，这辈子能创造一些什么样的东西。当然，这个理由最好是利众的，因为只有利众的行为才能承载一种比时间更真实、比肉体更永恒的精神，才能实现一种岁月毁不去的价值。

不过，正如好多人在不明白真正的信仰是什么的时候，总是错把一种欲望性的东西当成信仰一样，好多人也把某种欲望的满足当成了生命真正的价值。那么，为什么我们不能把欲望性的东西当成信仰呢？因为欲望和金钱等由人类滋生的东西，是不能作为信仰本体的。当我们将欲望当成信仰时，就会开始堕落。当我们开始堕落的时候，就会慢慢丢失自己对心灵的控制力。有好多女孩子，开始很纯洁，可一旦面对社会的时候，恶友就会激起她们的欲望，使她们变得功利，失去某种天真烂漫的东西，然后变

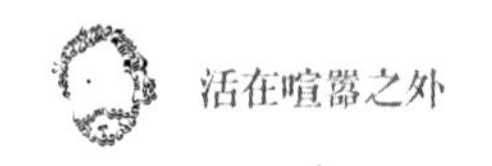

成欲望的奴隶。还有好多人，一开始是抱着一种非常好的愿望去追逐金钱名利的，可一旦他们开始追逐这种东西，欲望就会污染甚至吞噬他们内心某种纯净美好的东西，到最后他们就会变得利欲熏心。而一个人利欲熏心的结果就是，他们总会为了夺取或者保住某种物质性的东西而做错人生中的许多选择，让人生留下各种各样的谬误，然后在未来当中，为这些谬误付出各种各样的代价。大部分人的人生都是这样。所以说，为心灵上的污垢付出代价的，不只是别人，更多的是自己；剥除心灵污垢，改变心灵，重铸灵魂，获益的也不只是别人，更多的是自己。

同样道理，当我们把欲望的满足当成生命真正的价值时，我们也会开始堕落，其结果，必然不是我们最初所设想的那样。

那么，回到我们最初的那个问题：人为什么活着？一些年轻的朋友告诉我，他们看了好多书，哲学也罢，小说也罢，就是想找到自己的答案，但是他们找不到这个问题的答案，也无法用任何道理来说服自己。我告诉他们，这个问题必须问你自己，别处是找不到答案的。我也无法回答你的这个问题。

人为什么活着？如何活着？这是每个人都必须在生活中、生命中慢慢领悟的东西。但是你要始终记住一点：人很快就会消失，像苍蝇飞过虚空一样，留不下什么痕迹。

假如这种了无意义、毫无痕迹的活不能引起你哪怕一点点的反思与追问，那么你就算不上是一个真正的人，因为你不具备一种人的追求。我在一次访谈中说过，人性中包括动物性与神性两方面。其中，神性代表了一个人对生命意义、生命价值的追问，以及他对“永恒”的追索与向往。所以，如果你的内心缺失了这样的一种东西，那么你就与一般的动物没啥两样了。我们将动物般生存着的人，称为“混世虫”，也就是“混混”。“混世虫”不过是在混日子，用一种毫无目标的活法，迎接着必定到来的死亡。对于他们自己而言，这当然是非常可悲的；对于整个社会、整个世界而言，他们无法创造任何真正的价值，仅仅是在消耗地球资源，他们中的一些人甚至还会给地球与社会带来不同程度上的伤害。从这个角度上来说，他们就像地球的“癌细胞”，这种存在是非常可悲，也是非常可怕的。做一个混混，还是做一个真正的人，这是每一个人自己的选择。区别两种选择的唯一标准，就是你能不能为世界创造一种价值，能不能为整个人类乃至所有生命带来一些有益的营养。如果你选择了后者，想要做一个真正的人，那么就反思自己，叩问自己，仔细思考自己应该如何发出那萤火虫般的光芒，甚至引燃燎原大火，照亮整片天空，尽己所能地驱散那笼罩整个人类世界的黑暗迷雾。这个念想就是你活着的理由，就是你的梦想。

事实上，你肯定也有梦想。比如，你做事的时候肯定有着一种标杆似的理念，这种理念是你衡量自己的标准。对这一理念的向往，会让你产生一种相对持久的冲动，使你向着某个方向不断努力。这种冲动就是你的梦想，只是你或许还没有将其放大，没有将其升华为一种超越物质层面的存在。一旦你的心中出现了一种比自己更伟大、更高尚的存在，而且仰望它、敬畏它、向往它，甚至愿意为了它而承受许多寂寞与痛苦的时候，你就拥有了信仰。如果你向往的东西并不比自己更加高尚，那么它就无法为你提供一种向上的动力，无法让你脱胎换骨、变心变命，也未必能够让你实现生命真正的价值，但那也很好。你可以叫它“生命的意义”“生命的目标”或者“活着的理由”，它还算不上一种信仰。不过，所有精神上的追求，都是能够升华为信仰的，至少为这种升华提供了一种可能性。

为什么一定要有信仰呢？因为信仰是一种更高的向往，只要那对象比人更高尚，就能成为一种信仰。有的人也会将爱与善作为一种信仰。当一个人拥有一种更高的向往时，他就会不断进步，不断比昨天变得更加高尚、快乐、自信与坦然。我在不同的时期，有不同的信仰，有不同的梦想，目的就是希望自己活得比现在更好一点。当然，这个“活得更好一点”指的不是物质条件的进步，而是一种精神的超越——这就是信仰。所以说，当你找到了自己的梦想，向往一种更高尚、更美好的东西，并且不断努力地走近它的时候，你的人生必然变得更加美好。

3.

铸就光明心

我在《真心——心学六品》中专门讲过发心，在这里，依然要说。为什么呢？因为发心是一个人修行的根本。如果你没有大的发心，你就达不到一种究竟的境界。举个例子，你的目的地是希腊还是北京，决定了你将付出多少努力，去筹备相应的旅费与时间。

地藏菩萨说，地狱不空，誓不成佛。这个愿发得很大，所以他就走得很远，达到了一个非常高的境界。阿罗汉的发心仅仅是自了，他证得能够照亮自己的光明之后就满足了，也就无法照亮更多的人，无法达到更高的境界。这也是阿罗汉虽然已经明心见性，却仍被称为焦芽败种的原因。所以说，一个人的发心，直接决定了他的价值。

这个世界上每个人都有发心，只是发心的内容不尽相同。发心，实际上就是为自己许下一种誓愿。这个誓愿，决定了你如何去走自己的人生路，决定了短暂一生中，你追求的将是一些什么样的东西。有的人希望能赚一笔钱，到全国各地去旅游；有的人希望买一栋房子，娶个贤惠的老婆，生个孩子，满足父母的心愿；有的人希望取得辉煌的世间成就，证明自己是个有才能的人；有的人希望找到命中注定的那个人，痛痛快快地爱一场……诸如此类的心愿也很好，它们代表了一个人所关注的东西，是一个人内心世界的真实体现。但是，这果真是我们最深层的诉求吗？恐怕未必。因为我们的心愿背后都有一句潜台词：我一定要活得快乐、自在、坦然。诸如此类的所有表述，都不过是在阐述我们设想中的，能够令自己快乐、自在、坦然的一种途径。就是说，这仅仅是实现我们心愿的一种可能性。而实现这种可能性之后，我们真正的心愿又是否能够达成呢？说不清。

其实，这世界上又有谁不想活得快乐、自在、坦然呢？我在跟一些朋友聊天的时候就说过："人类所有的目的都是快乐！"旅游也罢，看书也罢，思考也罢，赚钱也罢，购物也罢，人类一切的行为，都是为了得到一种快乐。我之所以写作，也是在享受其过程中那种巨大的快乐与充实。但是我在自己得到快乐之外，还想寻找更多的意义，寻找一种能让别人也快乐，能让所有读者都快乐的意义。这就是我跟一些作家不太一样的地方。这个不同之处，导致我们有了完全不同的两种写作：一些作家的写作，是欲望化的写作，是功利化的写作；而我的写作，则注入了大爱。北京大学当代文学硕士、人民文学出版社编审陈彦瑾女士专门撰文说道：“雪漠的作品，已不仅仅是小说，而是一个世界；雪漠的作品，已经拥有了一种改变世界的力量。”这一点，恐怕是功利化写作的那些作家所做不到的事情。而我们之间所有的区别，就在于写作之初所发誓愿的不同。他们或许想得到某种名利、物质的东西，而我却一无所求。好多时候，就连快乐，我也不求。但正是因为我一无所求的“大求”，所以才得到了一种终极的快乐、终极的自由。

佛家将这种不但希望自己得到解脱，还想帮助别人得到解脱的誓愿，叫作菩提心。明心见性之后，只是得慧，未必有菩提心。但假如没有菩提心的话，就无法成就菩萨道。所以说，一个人想要超凡入圣，就必须要有菩提心。发大心，才可能会有大力，才可能有大成就。当然，我说的并不是一种世间的成就，而是一种出世间的成就。没有菩提心的时候，最多只能让自己解脱，再没有更大的能力，因为你的野心也就只有这么多；有大菩提心，希望帮助别人，让别人也得到清凉、获得解脱的时候，你才有可能成就菩萨道，甚至成佛。

阿罗汉也很好，他已经破除了我执，跳出了轮回，但是他对整个世界来说，仍然没有太大的意义。因为他没有更大的发心，没有为世界贡献一种岁月毁不去的价值，不能将自己证得的光明传递出去，影响世界，让更多的人得到快乐和解脱。同样道理，那些发愿环球旅游、发愿买楼房娶个好老婆的人们，他们对世界也没有太大的意义，因为他们只关注自己，或者与自己有关的人们，他们没有更高远的志向，没有包容整个世界的心量。所以，他们能够做到的，也仅仅是在此生当中尽量生活得好一些，然后像苍蝇飞过虚空一样，随着肉体的消失而消失，再也找不到一点点存在的痕迹。

好多真正有信仰的人，都是具有菩提心的。他们向往一种利众精神，认为自己一生当中最重要的事情，不是得到一种非常好的享受，或者满足自己的某种欲望，而是为这个世界带来一些善美的东西。他们或许仍有很多毛病，但是他们懂得自省，他们将所有的心力都用于升华自己的人格，提升自己的境界，在有限的生命时空中尽量多做一些有益于世界的事情。

这种人非常少，但他们是这个世界上非常美的一道风景。比起像牛一样劳作、牛一样死去的人们，他们有着更大的“野心”，他们希望在自己短暂的人生当中，创造一种岁月毁不去的价值，为世界传递一种有益的营养。实际上，在人类历史当中，真正能留下痕迹的，也只有这样的一种人。

4.

灵魂的叩问

好多现今社会的人们，都不太相信这个世界上有灵魂。为什么呢，因为我们太过相信眼睛，以为看不到的，便不存在。但是我们不知道，眼睛，才是最懂得撒谎之物。眼睛看到的一切，多为表象，而事物的真实，往往被隐藏在肉眼看不到的地方。比如，科学家认为，在宇宙中，我们看到的物质只占4%，暗物质和暗能量占96%，它们至今仍是科学的未解之谜。什么是暗物质和暗能量？就是人类的眼睛无法捕捉的那些能量与存在。那么，我们或许可以假设，若干年后的某一天，科学也会验证灵魂的存在。当然，这是两种不同的体系，并不需要互相证明。

不过，我所认为的灵魂，跟好多地方所说的灵魂有点不同。在我眼中，灵魂不仅仅是形式，不仅仅是心识，它也是超越肉体的那种精神和价值。从这种意义上来说，并不是每个人都有灵魂的——好多人的肉体还未死去，灵魂就已经死去了。为什么呢？因为他们的存在毫无价值，也无法承载任何的精神。因此，才有了救赎灵魂、为灵魂赎罪之说。所谓救赎灵魂，实际上，就是让将死的灵魂，鲜活出一种纯净的生命力，以一种无求的心，为众生造福，以此创造一种岁月毁不去的功德，实现超越肉体的精神和价值。

这样一来，所有话题就又回到了“活着的意义”上面：一个人活着时要实现一种什么样的意义，如何实现自己对整个世界的附加值，这是一个人必须要思考的问题，因为它直接决定了一个人的生命质量。当你思考了这个问题，却又随性地挥霍人生时，你的灵魂就会一直痛苦，它在承受着一种被消解的苦。它知道它的活着也像死去，存在显得毫无意义。当然，一些不相信灵魂的人们，会觉得这种说法纯属扯淡。因为他们相信的是“人死如灯灭”，死了就啥都没有了。所以，在某些人眼中，人生是一个巨大的虚无。人生即便是一个巨大的虚无，但它对于每一个人来说，仍然有着各自不同的意义。每个人活在世界上，也仍然有着自己不同的理由。为了这个理由，有的人甚至可以选择不活。比如《白虎关》中的莹儿，在她活着的那个盼头被现实无情粉碎的时候，她就想自杀，来实现一种对人生意义的捍卫。在东部人眼中，这种自杀或许是消极和不负责任的，但西部人对它有不同的看法。西部人认为，人活着就该有一个活着的理由，这个理由也许是爱。当这个活着的理由受到侵犯时，能为其去死，也是一件非常美的事情。西部民歌花儿中就有许多这样的例子：“桂花窗子桂花门，老天爷堂上的宫灯，杀人的刀子接血的盆，小妹妹没有悔心。”“浑身打下的青疙瘩，不死老这么做哩。手拿铡刀取我的头，血身子陪你睡哩。”……它像是灵魂中迸出的声音，是灵魂的呐喊，是西部那片贫瘠土地上开出的最美的花儿。它陪着一代又一代西部人，走过了他们充满苦难的人生。

关于活着的意义，我的一个学生曾对我说过，她想做《西夏的苍狼》中的黑喇嘛，她觉得黑喇嘛就是自己。为什么呢？因为她想在人间创造一个娑萨朗。没有读过我的小说《西夏的苍狼》的人，可能不知道什么是娑萨朗，更不知道她为什么要创造这样的一个地方。娑萨朗是个非常美的地方，它是一个超越自己现实之外的心灵世界，是一种向往的代名词。无论什么人，心中都有一个娑萨朗，孔子的大同世界也罢、柏拉图的理想国也罢、共产主义也罢，名字虽然不同，但它们本质上都是娑萨朗。正是娑萨朗的存在，使人类成了真正的人类。假如没有了娑萨朗，人类就跟其他动物毫无分别，都是一种自然性的、类似动物性的生存。正是有了这种向往，对超越现实之外某一种精神本体的向往，才让人类成了“人”。而我的那个学生，她之所以想在人间创造一个娑萨朗，就是想让心中的天国降临人间，像黑喇嘛建筑了城堡山那样，创造一块人们看得见摸得着的人间净土。这是她的向往。我的学生当中，有许多修行人，他们都有着自己活着的意义，他们都在实践活着意义的过程中，一天又一天地升华着自己的心灵，真正在为力所能及地给这世界带来一点善美，而贡献着自己的全部心力与生命时间。

其实，无论你承认人有灵魂也罢，不承认也罢，在某种意义上来说，灵魂都是存在的。当然，承认灵魂，并且直面灵魂，善待自己灵魂的人，才能活出一段高质量的人生。因为他会倾听灵魂的声音，为盼头而活，不是为某种桎梏心灵的规矩而活。活在当下，心怀盼头，才是真正意义上的“人”。没有盼头，便是混混。这个盼头，跟“不要追忆过去，不要希求未来”并不相矛盾。佛陀之所以是佛陀，便是因为他有普度众生的盼头，他用一个非常大的盼头，取代了好多人心中那些小小的盼头。要不，他就算不上佛陀，也不值得千万人的敬仰。

我说过，我对自己没有什么期待，但我仍然有一个盼头：写出能照亮世界的作品。为了这个盼头，我一直在写作。我的所有书，就是在这样的盼头中诞生的孩子。正像我在《无死的金刚心》“后记”中说的那样，所以我不会任由外部世界的规则去控制我，我不会参与别人的游戏，我要为自己制定规则，我遵循自己为自己设定的规则。这个规则，就是我只写我想要去写的东西，我不会为了迎合这个世界，而去说一些对这个世界无益的话。要不，我就不写了，也不说了。这就是我尊重灵魂的方式。

相信灵魂，并且尊重灵魂的人们，都有他们自己一套尊重灵魂的方式，无论这些方式的具体内容如何，他们都无疑是幸福的。因为，他们的灵魂有了依怙，不会再飘摇不定。

5.
什么是真正的信仰

现在好多人都在说信仰，有的人说自己信佛，有的人说自己信道，有的人说自己信耶稣，或者信一些其他的对象，但是即便好多认为自己信佛的人，也并不明白自己并不是真正地信佛。他们中的一些人，甚至不知道什么才是真正的信仰。

所以有人说，国人从来不曾有信仰。这对，也不对。说“对”，是因为国人中有真信仰者少；说“不对”，是因为国人中有信仰者也不少，只是他们的信仰对象，未必是真正能够成为信仰本体的东西，比如欲望、金钱、名利等。

真正的信仰有二：一是信；二是仰。之所以“仰”，是因为那信仰的对象比自己伟大；“信”，则是坚信这一点。所谓信仰，就是借助一种大善之力，提升自己。所以，信仰的本质是向往，而信仰的对象，必须是一种比人类本身更伟大的存在。我常说，真正的信仰者，必须做到三点：自省、自律、自强。假如达不到这三点，便不可能构成真正的信仰。

有个网友曾经问我，如果你的生活跟你的信仰发生矛盾，你该怎么办？我回答他说，我个人选择信仰，信仰是我这辈子活着的理由，没有它，活着是没有意义的。这一点在好多人看来，似乎都是不太理解的。在好多人的眼里，信仰只是一种知识性的点缀，与生活、工作是没太大关系的两种东西，就像你相信地球是圆的一样，就算不在乎这一点，你的生活仍然可以继续。但事实上，对真正的信仰者来说，并不是这样的。信仰是他们活着的理由，是他们的呼吸与生活方式，是他们一切行为的动力与准则。任何与信仰相冲突的价值观、生活方式，都是他们绝对不会去接受的。就是这一点上的不同，令好多人都无法理解真信仰者的心。他们不知道，真信仰者的内心世界，并不是一片晦暗的废墟，而是一片美丽的海洋，它宁静、深邃、安详、平和，没有纷争，没有机心，没有造作，时常回响着一曲天地间最美的歌——清凉之歌。

当一个人拥有真正的信仰，并且真正地明白了一些东西之后，他的心就是一面镜子，能够朗照出世间一切，却又不会被任何外相所迷惑。他不会因为看见了美女就欢喜雀跃，也不会因为看见了丑八怪就大倒胃口。他永远都是在以一种信仰的出世心态，来做生活的入世之事。他永远是“事在人为”，但又“顺其自然”的。因为他看破了俗相，知道世上一切都是虚幻不实的假象，于是也就远离了各种执著。他的这种心态，便是我们常说的“平常心”，是“看破”后的产物。

不过，这个“看破”，跟好多人挂在嘴边的“看破”不一样，它是一种很高的智慧。问题在于，你是不是真的看破？是究竟的看破，还是不究竟的看破？要知道，好多人眼中的看破，仅仅是被动地接受命运，甚至压抑自我，放弃志向。这不是看破，而是一种无可奈何。真正的看破，应该是佛陀的拈花一笑，是世间一切风风雨雨都动摇不了一个人内心的宁静与祥和。当然，即使对于真正信仰某种伟大精神的那些人来说，要走到这一步，也仍然需要一个过程。

这个过程中虽然有着灵魂撕裂般的痛苦，但它绝不是一个需要去支撑的东西。如果你感到自己的信仰需要“支撑”，那么它就是一种作意的东西，是你在自己骗自己，它绝不是真正的信仰。因为真正的信仰是一种精神的力量，超越物质，不假外求，更无须外力支撑。它是一个人生命中最重要的东西。比如，我认为利他、利众就是真正的信仰，无论在哪个人生阶段，我都无须刻意地去支撑这种信仰，因为我绝不会背弃它，就像我不会丢掉我的呼吸一样。有的人信仰爱情，也是一样。可是当爱上升为信仰的时候，它就不再是一种世俗男女间的欲望热恼之爱，而是一种清净之爱，是一种大爱，它也叫慈悲。真正升华为信仰的爱，其爱的对象便不再局限于一个男人或者一个女人，而是整个世界。当你真心、无求地像爱情人一样爱世界的时候，你的爱才能真正升华为信仰。

有的人也问，既然信仰是一种利众精神，是一种大爱、慈悲的东西，那么为什么信仰也会让人产生冲突呢？确实是这样。好多自认为有信仰者，在闭关的关房里面，就能因为一点小小的口角而大吵其架、大打出手。不过，这些人的信仰并不是真正的信仰，他们还没有达到一种智信的高度，所以总爱盲人摸象。那什么才叫智信？真正的信仰，便是智信，它不是迷信，不是对满天神佛的盲目崇拜，是明白之后的信。只有这种智信，才能产生一种清醒的大力。没有真正的信心，便没有一切。没有信心，便没有菩提心。所以说，有的所谓信仰者，才会打着信仰的旗号，大做利己之事。

因此，一个人在寻找活着的理由，并且想要走进信仰的时候，一定要擦亮眼睛，鉴别真假，一定要明白：教你堕落贪婪者，假；教你明白清凉者，真。千万不能迷信，更不要盲目相信一些谈空说密、行为上自私自利之徒，因为他将你领入的，绝不会是真正的信仰。

6.

正信

好多人信佛，只是一种形式上的信，或者仅仅是相信六道轮回、因果报应的存在，相信某种神秘力量的存在，其实，这仍然构不成真正的信仰。我们前面也说过，所谓信仰，必须有两方面：第一是“信”，第二是“仰”。信就是一种敬畏。敬畏一种什么东西？敬畏某一种你认为的比自己伟大的精神，或者敬畏某一种比人类更伟大的存在，这才有了“信”。“仰”呢？就是向往，不但有“信”，而且向往它，希望自己能达到那种境界。信与仰合二为一，才构成了信仰。所以说，你必须明白自己信什么东西，如果连这一点都搞不清楚的时候，如何信？如何向往？如何自省？不知道如何达到某一种境界，不知道到底要达到哪一种境界，却仍然要信仰的话，就是迷信。所以说，你的信佛是正信还是迷信，在于你明不明白自己“信”的对象。

现在，有好多明星信佛，如果明星们的“信”是一种正信的话，这当然是一件好事。因为在这个时代，想要传播某种东西的时候，需要用一种很大的声音，你传播的内容才不会被搅天的信息湮没。在这一点上，明星信佛有不可替代的影响和作用。但这里仍然存在一个问题，就是信佛的明星们，是不是明白自己在信什么？是不是明白自己信仰一种什么样的精神？如果说你知道佛家追求的是解脱或者自由，那么，你是不是真的明白，什么叫解脱？什么是真正的自由？你明不明白如何才能达到解脱？在这个过程当中，你还需要做哪些事情？如果知道这些东西，那么这个“信”才是真正的信仰、正信；如果明星们在不明白这个东西的情况下，在某一个地方、某一个时候用一种非常狂热的态度，说一些不一定符合佛家正见的话，就会加深外界对佛家的误解。因为，不但盲目的拜佛者们会对佛家产生误解，外界也会认为佛家是迷信的。事实上不是这样的。许多明星信仰佛家的时候都会出现这个问题，他们信仰的并不是一种真正的佛家精神，而仅仅是“佛”这个名词、这个名相、这个外形。这个时候，他们就会给世界传达一种不正确的信息。比如，很多人为什么要攻击佛家？他们攻击得对吗？对。我的意思是，他们攻击的对象，刚好是佛家自己也非常反对的那些东西，如神通，以及另外一些神神道道的东西。佛家一直都在反对这些东西，佛家真正注重的是智慧与慈悲。释迦牟尼佛就公开地反对过这些神通之类的东西，因为他认为这些东西解决不了生死的问题。

所以说，明星也罢，什么人也罢，在传播或者捍卫自己的信仰之前，必须弄懂佛家的精神到底是什么，然后才能告诉人们佛家的真正内涵。你必须先想清楚，自己传播的这个信息对还是不对？它是真正的佛家还是你自认为的佛家？如果是真正的佛家，那么很多人都会觉得你的传播让他们知道了一种真理，这是一种巨大的功德；如果你传播的是一种谬误的、莫名其妙的东西，甚至反而是佛家并不提倡的那些东西，那么你就会对佛家造成非常大的伤害。这一点对所有人都是一样的。唯一的分别是，传播者本身的影响力越大，产生的功德或者伤害就越大。

明星也罢，什么人也罢，为啥要信仰佛家呢？或许具体原因各有不同，但至少他们在学佛的时候发现了一点，就是这个世界没有永恒。当他发现自己的生命、行为，包括他的语言、财富都像太阳下的露珠一样，很快会被蒸发掉的时候，他就想为这个世界留一点东西，这时候他可能会寻找一种真理——比如某一种信仰。要是他想用他的某一种行为，给这个世界贡献一种岁月毁不掉的东西，这时候他就会建立慈善基金会之类的。其他人不一定有这种行为，但是他们仍然想寻找永恒。想要寻找永恒的时候，他就会拷问自己的灵魂，然后开始他的心灵求索之旅，这时候他就会走向不同的信仰——当然，不一定是佛家。

佛家不一样的是，它更多的是注重心灵、自性，是用心灵的力量照亮自己，而不是借助外界某种神灵的力量，来达成自己的一些愿望。所以说，很多人进入佛家，主要是窥破了虚幻，看到了无常，想寻找永恒。

但佛家里面也确实有很多迷信者，比如说一些只会磕头、拜佛、祈福的老太太等，但他们不能代表佛家真正的东西。佛家是非常积极的，它追求的，是一种无条件的快乐。世间法追求一种有条件的快乐，我们称之为“离苦得乐”；出世间法追求一种无条件的快乐，我们称之为“涅槃之乐”。所有的佛家修炼都是为了达到这个快乐的目的。如果你证得了一种无条件的快乐，比如心灵的明白、智慧的觉醒，那么就是正信；如果你想要靠一种欲望的满足，比如得到某种心外之物，来得到某种快乐，这个快乐就是不究竟的。

当然，佛家也允许拥有这种不究竟的快乐，我们称之为世间法，比如天人，但它并不是佛家的真正追求。佛家真正追求的，更多的是一种“无缘大慈，同体大悲”的智慧境界，在这种智慧境界当中，拥有一种无条件的快乐、一种无法被外物所撼动的快乐。如此而已。

三、在生活中历练

1.
如何修正行为

说起修行，人人都会觉得很奇怪，觉得这只是修行人的话题，跟自己毫无关系。不是这样的。所谓修行，其实就是升华人格，让自己从一个小人变成一个君子，并且在自省、自律、自强的基础上，更上一层楼。其表现形式，就是修正你的行为。心的明白，要体现在行为当中，才有意义。没有行为，就没有功德。那些没有行为的人，仅仅想靠所谓的发心是不可能成就的。真正的发心，要体现在行为上。真正的成就，必须包括五个方面：身、口、意、功德、事业，缺一不可。行为更包括后二者。即使对于那些不信仰佛家、不求成就解脱，但求做个好人、活得坦然快乐的人们来说，这个道理同样适用。

我举个例子，假如你坐出租车的时候，捡到一部新手机，你是将其归还失主，还是将其据为己有？这个选择，是欲望与良知之间的一次小小争斗。在这种争斗中，就可以修行。

每个人在整个人生当中，都要做出许许多多诸如此类的选择，每一次选择，都是一个修行的契机。你要选择这个还是那个？你会为满足欲望而突破道德底线，还是拒绝欲望、坚守良知？人生中的每一刻，都是一个试炼的机会，这种试炼，便是修行。所以说，人生本身，便是修行。修行的方式是多种多样的。有什么样的人，便有什么样的修行。当然，真正的修行，是让人往好里修的，让人堕落、放纵的，不是修行，伤害别人的，更不是修行。

佛家认为，真修行，并无所修，只是放下、破执即可。那八万四千法门，便是为了让人明白心性，进而放下破执所设。道家也强调破执，但它的破执与佛家不同，它最后还有一种法执，比如“天人合一”，便是有人与天的分别。有分别，就有执著，不管执著的对象是个啥东西。

佛家看来，无执著，才是解脱：破我执者，阿罗汉也；破法执者，菩萨也；无执可破时，便是大自在，大自在便是成佛。关于这一点，我在一次网络访谈中随机写过一首偈子："二执皆是执，名相虽为异。破时破名相，亦扫诸觉悟。无物可扫时，便有妙消息。当下与同修，哈哈复嘻嘻。"可见，佛家与其他信仰的区别，便在于最高境界的不同，也即目的地的不同。

好多人不信仰佛家，宁愿以自己的方法修正自己的行为，这也很好，有向上的向往就很好。比如你也可以信仰大善，在生活中为自己设定一个"趋善避恶"的准则，或者为自己设定一些戒条。如果你不明白该戒什么不该戒什么，也可以参考佛家的戒律。佛家的戒律里面包含了帮助一个人远离贪欲与执著的智慧，是故佛说：以戒为师。当你严格守好生活中的戒时，就会产生一种定力，渐渐地能够控制心灵，慢慢地，你本有的智慧就会显发。不过，想要认知这种本有智慧，你就必须找到那个能为你印心的上师，就是说，你要想开悟，就必须找到你的根本上师，你就需要以佛家的方法修行。

佛家的修行方法有许多，比如观修、读经、持咒等。观修与持咒，需要善知识灌顶，方有真正的意义，但作为积累资粮的方法，也很好。比如，不管你有没有灌顶，只要虔诚念诵"奶格玛千诺"，便会生起相应的觉受，其中唯一的秘诀，便是信心。还有一种方法，就是读经。我在写《大漠祭》最后一稿之前，为了放下对文学的执著，曾每天诵读《金刚经》，在那过程中获得了大益。此外，你也可以读些其他佛家经典，所谓“深入经藏，智慧如海”。但最重要的，还是尽快找到你生命中的善知识，因为只有他才能让你开悟，只有开悟，才知道何为“道”，何为“修道”。明白了这些东西，你才能开始真正意义上的修行。否则，你将永远都在究竟解脱的门外兜圈，始终都不能走近。

有的时候，我也叫那些对《真心——心学六品》有信心的朋友，熟读书后面的长偈子。那偈子，本是写给我自己修行所用的，其中总结了我修行二十多年的经验与要诀。后来，为了让它利益更多的众生，我才将它加入我的书中。许多不能完全看懂《真心——心学六品》的朋友，便靠每天背诵那长偈子，以帮助理解。我当初用偈颂体的形式记录修行要诀，便是为了便于念诵和背诵。日日诵读，不舍于心，久久熏染，智慧自长。

修行一定要精进。不精进的修行，很难对身心发挥真正的作用，更不可能在这辈子就达到终极解脱。所以，古人说：“士要执著于道义。”这是对的。只是，当你开悟之后，安住于真心，时时保持警觉，便是真精进，无须再执著于所“悟”。尤其要注意的是，缺乏正确见解的精进是非常危险的，很容易走火入魔。因此，修行中精进重要，见地也相当重要。当你还没开悟的时候，可以从佛学经典中吸取智慧的营养，在理上明白一些道理，然后再精进修行。当然，假如你已皈依了真正的善知识，他就自会告诉你如何修行。要知道，修道如行崖上小道，两侧都是悬崖。你偏左时，上师叫你向右；你偏右时，上师叫你向左，看似矛盾，实则为了对你的机。可见，善知识在一个人修行的过程当中，有多么的重要。所以说，修道之初，参学重于实修。

2.
让自己更明白

修行是一个学做人的过程，做人做得好不好，你从行为就能够看得出来。所以，好多人问我，修大手印要有什么基础，我说，先做个好人。

佛家修行中的一切，观修也罢，持咒也罢，从本质上来说，都是为了用大善的信息来磁化你的心，让你的心发生改变。当你的心变了的时候，你的行为自然会变。比如，你有一颗小人心的时候，行为当中自然损人利己；你有一颗君子心的时候，行为当中自然利众。所以说，修行中间，单纯作意是不够的，还需要一些行为上的表现。人的行为构成了人的价值，没有行为，就没有价值。换句话说，假如你心中所想，皆以他人为先，又怎么会在行为当中不惜害人以利己？你的行为证明了你的心。

不过，好多人在衡量自己的修行成效时，往往会不由自主地自欺欺人。或者他们本意并不想欺骗自己，只是好多东西，他们看不清楚。因为他们未必能够在生命的分分秒秒中，都保持警觉，时刻观照心灵的状态。假如一个人在每个当下都警觉，一生就不会迷了。这便是佛陀。佛，就是觉悟的人。而所谓凡夫，就是迷着的人。

迷着的人，是不愿意改变自己的。因为他们看不清自己心中的东西。他们的心灵像是一间漆黑的房子，他们不知道里面原来堆满了垃圾。他们的嗅觉已经异化，不知道那垃圾的气味实际上臭不可闻，更不知道这个世界上还有另外的一种味道。不过，有些人可能会开始厌倦，他们会发现自己并不喜欢这种味道。因为对现状不满，所以他们开始寻找另外的一种可能性。在他们踏上这条追索之路时，他们就开始了修行。他们也许会通读文学经典，在时光岁月沉淀下来的人类智慧精华中，寻找一种改变的可能。但他们仍然会觉得乏力，因为那渴望觉醒的灵魂依然在业风中飘摇，他们找不到清扫心灵垃圾的工具，也难以对抗臭气熏天的环境对他们的同化。他们需要一种正面的力量。于是，这时好多人就走向了信仰。这些人借诵读经典或修习特定礼仪来熏染自己，一遍又一遍地告诉自己，纯净的空气该是什么样子。慢慢地，他们才能具备一种清晰分辨的能力，他们才会找到清洗心灵污垢的工具。

所以，从本质上来说，提升人格，并不仅仅是一种利众，也是一种最大的利己。当你的心灵得到升华的时候，你就会活得更明白、更清凉、更自在。这才是修行的目的。修行不是为了改变单一生命体最终的命运，不是为了让一个人不生病、不死亡、不衰老，也不是为了拥有一种神乎其神的功能，而仅仅是为了自己能活得更清凉快乐一些。这个标准，指的不是物质，而是心灵。

我举个例子，当你有一碗饭可以饱腹、有一杯水可以解渴、有一两件衣服可以覆体、有一点钱可以买上面所说到的那些东西时，你的基本生存条件就已经得到满足了。这时候，所有其他的东西，都是一种身外之物。有和没有，都改变不了你的生存本身。你买一间再大的房子，睡觉时，都只需要一张床；你吃再好的东西，赚再多的钱，也只不过是希望自己能活得快乐。那么，假如得到这一切的代价是付出你的快乐，那么它们对你来说又有什么真正的意义呢？

所以，检验你是不是真的在修行、修得好不好的标准，就是：你的心有没有变好？里面的污垢有没有一天天减少？你是不是变得更明白、更慈悲、更宽容了？如果不是如此，一切的觉受和感悟就都没有任何意义。

有的人在修行当中，纯粹追求一种技术性的东西，比如一天能持多少咒子，有没有什么殊胜觉受，这是不对的。为什么呢？不是说持咒不重要，也不是说殊胜觉受不好，而是说，这些都不是一个人真正应该关注的东西。持咒是一种摄心的方法，觉受是一种必然产物，它跟神通一样，并不是一个人真正应该在修行中追求的东西。它们也不能代表一个人到底修得好还是不好。

我常说，在《西游记》里面，唐僧是最没用的一个人，他没有任何神通，必须要别人来保护他，但是他有智慧、有定力，在面对诱惑时也没有动摇过自己的决定，最后他成佛了，但那么多俱足广大神通的妖精，却没有成佛。所以说，有神通不代表能解脱。而且，在一个人没有明心见性的时候，神通反而是一种入魔，因为它会增加一个人的贪婪，增加一个人的执著，增加一个人在成佛路上的障碍。所以我才说，群魔乱舞赛神通，于是西天路不通。

大手印智慧是一种本有的智慧，它不是知识，不是思维，不是概念，不是发明，而是发现。你只能在得到善知识的心传之后，身体力行地“证”得它，想是想不出来的。但佛家仍然有教有证，其原因，就在于一个人在行之前，必须先重见地。拥有正确的见地，才能保证他不会在修行当中走错方向。正确的见地，就是去除偏见。实际上，这世上本无偏见，仅仅是角度。角度一变，便无正偏之分别心了。想要拥有正见，你可以研读一些佛家经典，以及一些具备正见的著作，如《金刚经》《楞严经》等。当然，你也可以读我的书。它们都是属于“教”的善知识。比如，在我的《初心》与《真心——心学六品》当中，你会发现跟许多著作不一样的智慧，还有我的《无死的金刚心》里那些空行母的道歌中，都有一种非常适合当今人类的、直指人心的智慧。即使你不学佛，也同样可以从那些非常质朴的道歌中读出一种智慧的清凉。

当你道理上明白了一些东西的时候，还要用行动来印证自己学到的东西，让它成为你的生活方式、生活态度。没有行动，便不会有真正的“得”。那行动，便是人们所说的修炼。

3.

你需要什么

很多人都知道，欲望是痛苦的根源，但是他们同样也认为，人必定是有欲望的。这也没错，因为人性当中有神性，也有动物性。动物性，就代表了一些欲望、无知的东西。当一个人听从欲望的指引而做事的时候，就不是一个真正的人，而趋向于一种动物般的存在；当一个人向往神性，并以实际行为一步又一步地走近它的时候，就趋向于一种比人类更高尚的存在。真正的信仰者、修行人，就属于后一种。

只要一个人还没有超凡入圣，他就还有习气，还有各种各样的毛病，也很难让习气成为一种妙用。除非他明心见性，也就是很多人都听说过的“开悟”。什么叫妙用？妙用是基于真心而存在的。它也属于一种妄念，但它是一种你不会对之产生执著的妄念。比如说，雨水滴落在你的身上，你因此知道下雨了，这就是一种妙用。它类似于一种真心的直感，是一种脱离逻辑、思维等人为之物而存在的智慧。因为它比意识更快捷，所以它往往能在意识对你的心灵产生一种表象化的蒙骗之前，洞察事物的真相。换句话来说，它比意识更能洞悉事物的真相。

大部分人之所以不能消解欲望，其原因就在于他们总是将情绪当成一种真实存在的东西。而情绪是什么呢？它不过是一组受到外界刺激而形成的念头。举个例子，一个人走在雨里，他看见情侣们同打一把伞的时候，也许就会想起自己没有一个一同撑伞走在雨中的人，然后他又会想起生命中品尝过的各种失落，这些失落郁结在他的心中，于是他觉得雨中的自己非常的可悲。实际上，跟他一样，独自走在雨中的人还有好多，或许其中就有一些人，正品尝着静静走在雨中的那种诗意与浪漫。可见，同一件事情，可以带给一个人不同的感受，其区别就在于你怎么想，从哪个角度去想，以哪种心态去想。

假如你脱离意识与表象的束缚，以一颗直心去面对世界，感受就会完全不一样。你一定见过那些单纯可爱的孩子，一颗小石子也罢，一块彩色玻璃也罢，一个新奇的声音也罢，一个童话故事也罢，都能让他们感到非常非常快乐。为啥大人们总是体会不到孩子的快乐呢？为啥大人们总是把童话当成一种不切实际的东西，而无法从中吸取到自己能够吸取的营养呢？因为他们积累了大量的社会经验，积累了大量的偏见，他们的意识与逻辑告诉自己，这些东西都没什么大不了的，只是一些小小的玩意，而童话也是不存在于这个世界上的。当他们否认了一个东西的价值之后，他们甚至不愿意深究这个东西是否能为他们提供一些营养——无论其反面意义也罢，正面意义也罢。所以说，大人的世界远比他们自己所想象的更加单调。

我举个例子，一个学生告诉我，每当有朋友来看他的时候，他就感到非常苦恼，为什么呢？因为他必须绞尽脑汁地去想带朋友到哪里好，对方会对什么地方感兴趣，会不会觉得自己无聊。一个孩子肯定不会这么想，当他发现什么好东西，想跟人分享的时候，他一定会直接这样去做，不会考虑对方对自己的看法。他会拉你到一块奇形怪状的大石头旁边，告诉你这是一块巨大的宝石，是一块许多年前落下的陨石，其中一定藏着什么惊天的秘密；他会拉你到一间废弃的小屋当中，告诉你这是他的秘密基地，他的好多“行动计划”就是在这里诞生的，包括晚上要征服公共澡堂外面的一座煤堆等。孩子们会不假思索地说起自己的想法，他不去管现实中这件事到底是怎么样的，也不管大人们对此有何看法，在他们单纯的心灵当中，事情有着许许多多的可能性，包括大人们认为天马行空、毫无逻辑的那些设想。

而大人们呢？记得一个生活在都市里的朋友对我说过，空闲的时候，他和同事们总是不知道做什么，不是唱卡拉OK，就是去喝酒。但渐渐地，这些事情也让他们开始觉得无聊。他们总是觉得生活非常无聊，无论做什么都很无聊。网络访谈上，有一个网友也曾经问过我：“如果不写小说，你怎么打发空闲时间？有时候会不会想想此类的问题，还是你觉得这样的日子，真的很幸福了？可是经历少了，是不是意味着生活质量在下降呢？”我告诉他，我没有空闲时间，我的经历也不少。我的心灵可以进入任何时空，它远比现实世界更精彩。

我为什么这么说？因为我从来不浪费自己宝贵的生命时间。我很小的时候，就为自己设定了活着的意义，然后义无反顾地为它而努力、进取。在这种情况下，我是没有时间感到无聊的。所以，我常对学生们说，当你感到孤独的时候，一定没有好好做事。当你为自己的人生设定一种意义，然后把它当成你生命中最重要的东西，为之不懈奋斗的时候，你其实并不知道上天会不会给你足够的时间，让你完成这些必须去做的事情。事实上，好多人还没做完自己该做的事情，就已经失去了宝贵的生命。当一个人感到寂寞、感到孤单、感到无聊的时候，实际上他并没有真正地想到死亡，他没有想到每一天、每一分、每一秒，都可能是生命终结的那个瞬间。他在没有意识到这个真相的时候，时间就会变成一种不值钱的东西，他可以用睡懒觉来打发它，可以用唱卡拉OK来打发它，他可以干许许多多毫无意义的事情。因为他不知道，时间是他生命中最宝贵的东西。

甘愿屈服于欲望的人，也是如此。假如他明白生命是无常的，一切都是无常的，得到也罢，失去也罢，都不过是一场梦幻、一种记忆的时候，他还为什么一定要拥有那些东西，甚至付出自己的良知、自己的健康、自己的时间、自己的生命，也一定要拥有那些东西呢？他们又怎么会仇视那些不让他们拥有这些东西，或者夺去了这些东西的人？无论你以哪种方式生活，都会成为一种记忆，唯一不同的地方在于，有的生活方式能够让你实现一种不会被岁月毁去的价值，而有的生活方式则创造不了任何能与时间抗衡的价值。

4.

拒绝庸碌的消解

我在小说《西夏的苍狼》中说过一句话：“没有梦想的灵魂，是很容易被庸碌消解的。”确实是这样，当一个人找不到自己的梦想时，他的一生都没有方向。这就像一个修行人不知道自己为何修行一样，他无法走到自己想要到达的那个地方。因为，他根本不知道那是个什么样的地方。这时候，他会感到迷茫，会感到无助，他的人生，会变成一个巨大的罗网，任他怎么跳，都跳不出那铺天盖地的网。只有当他知道了自己的梦想是什么，然后坚定不移地朝那梦想走去的时候，他才拥有了一种挣脱罗网的可能。

然而对于找到了梦想的灵魂来说，庸碌的环境仍然非常可怕。因为，生活就像一个大染缸，好多曾经自命不凡的人，都在这生活的染缸当中，被各种各样的观点和规矩所同化了。他们消解了最不应该消解的东西——梦想与灵魂，让自己变成了一个混世虫，毫无意义地活着，虚度着宝贵的生命时光，甚至在恶的熏染中，破坏自己的原则，降低自己的底线，变成了为恶扬旗助威的人，或者参与罪恶本身。

凉州就像个巨大的腌菜缸，把啥都腌串味了。我最怕自己终究会被腌成地道的凉州人，这样，我就不可能成为作家了，我就会浑浑噩噩地度过我的一生。因此，我把留胡子作为一个标志，提醒自己：一定要守住自己。我一面读书，一面思考，一面观察世界，一面极力和这个世界保持距离。这种距离非常微妙，需要你仔细地去揣摩，你必须既能钻进去，还要能跳出来。如果你钻不进去，那么你就无法深入人类的心灵，无法与他们同呼吸共命运；如果你跳不出来，那么你就无法超越人类的苦难与庸碌，无法清醒地面对整个人生。

所以，我一方面很喜欢交朋友，总是非常真诚地对待那些真心想与我交朋友的人，不管他的身份如何，只要他还没被世俗腌坏了心，没被世俗扼杀了他的真诚。在我看不见真诚的时候，是不愿在他身上哪怕多花一分钟的。我遇到过好多人，他们当面说："哎呀，雪漠真伟大。"一转身，就会指着我的脊梁骨骂我。我不会歧视他们，更不会怨恨他们，但我懒得花时间跟他们谈一些他们眼中莫名其妙的事情。我宁愿用大量的时间读书，每天跟书中的大师们交谈。正是这样，我才能超越庸碌、闭塞的环境，变成今天的雪漠。

当然，因为我坚决与庸碌的环境对抗，不愿意让它把我变成机器，变成一种毫无意义的克隆品，所以，我也经历过一些很有意思的事情。

《大漠祭》出版之后，我有好多单位可以选择，但我顾不上这个，因为我实在太忙。我总觉得，人生太短了，这口气一旦接不上来，就会死亡，我实在没时间考虑别的。因为同样的原因，我也永远不知道自己有多少钱。最穷的时候，我也不去管自己还有多少钱，除非真的没钱吃饭了。我永远不会为金钱或是当官之类的事务浪费自己的精力。我说过，生命是一根绳子，就那么长，用一截，就少一截。浪费得太多，就达不到最高境界。因为，要达到最高境界，你需要进行必要的修炼，这需要时间，也需要全然的专注。当作家和当画家一样，绝对的寂寞是绝对成功的保证。没有寂寞，就没有成功。有一点杂念，成功的可能就小一点；浪费一点时间，就少一点成功。所以，当头儿们想往哪儿调我时，我起身就走，也没时间和他们计较。

好多人也许会觉得，人为什么非要与环境抗争呢？不能在随顺它的前提下，坚持自己的一些东西吗？当然，真能做到这一点，也是可以的。但是当你做不到“舍”的时候，这个想法就会变成一种堕落的借口，让你在不知不觉中失去所有的坚持，它会消解你的灵魂，抹杀你所有的追问。当你回过神来的时候，也许一切都已经无法挽回了，因为你失去了一个人最宝贵的东西——生命的时间。

我虽然舍去了好多别人觉得非常重要的东西，比如发财的机会、身体的享受、娱乐消遣等，但是我依然生活得很好，非常快乐，非常逍遥，也非常自在。为什么呢？因为我对生活的要求不高。我始终觉得，吃饱、穿暖、健康就行了。然后我就写作、修行。我也顾不上去想满意不满意的东西，只管尽量做好自己。我只把握一个当下而已，不管未来，也不管过去。我对自己其实也没什么期待。当我做好每一个当下的时候，我就能坦然入睡了。我觉得，好多人追求的幸福，其实不过是婴儿饱乳后的那种坦然，只是未必每个人都明白这一点。假如明白了这一点，好多有吃有喝有房子住又非常健康的人，就不会再为欲壑难填而感到痛苦，生活也定然会快乐很多。

当你没有足够的智慧，不能放下欲望的时候，先得依靠戒的力量，把那些诱惑隔绝在心外，不要让外界的邪风邪雨污染你的心灵。一旦你通过戒，形成了一种定力，智慧就会慢慢增长。当智慧的光明充满你的心灵时，世界上的一切就再也不是诱惑，而变成了一种营养。这个时候，你就有了一颗不会被外物动摇的心灵，也会因此而拥有一条自主、逍遥的人生路。

5.

升华人格

《大漠祭》出版之后，我去了上海，上海的一些编辑对我说，他们觉得我非常自信。确实是这样。我从来都不管这个世界在说些什么，只是很自信地写着自己想写的东西。我之所以能做到这一点，一部分原因正是在于我拥有凉州文化这样的宝库。我根本不用任何的艺术加工，也不用编造故事哗众取宠，只要把家乡的博大文化展现在世人面前，这个世界就会为之而震惊。

为什么呢？因为凉州文化非常特别。一方面，它很封闭，这种封闭性使世界很难了解它，外面的人很难进入它的这种文化圈；但另一方面，它又是包容的，各类文化它都能容纳，这使它变得包罗万象、无奇不有。因此，我认为，西部大开发，最应该开发的就是西部的文化。甘肃有许多非常辉煌的文化，只一个敦煌学就让这个世界目瞪口呆。但甘肃还有许多这样的文化，比如凉州文化、甘南文化等，它们都是艺术宝库。在西部大开发中，应该加强对西部文化的开发，只有在文化这一方面，我们甘肃才能无愧地面对世界上的任何一个地方。

另一部分原因在于，我的心灵世界非常强大，它足以与整个外部世界平等对话。我不会干扰外部世界，不会试图去改变它，但是我也绝不会任由外部世界干涉我心灵的自由与自主。不明白这一点的话，便不可能了解我以后的创作。如果一个作家不自觉升华自己的心灵，心灵世界无法变得像外部世界一样丰富和博大，永远都局限于文学本身的修炼的话，他就成不了大气候。正是因为这个原因，好多作家都充当了一种卖水的角色——他们仅仅从生活之海中舀来一瓢水，就吆喝个不停，唯恐别人不知道自己兜售的是何种货色。真正的大作家不应该满足于写好那一瓢水，而应该创作出生活之海的全貌。所以，比起磨炼技巧、增长见闻，作家更应该注重的是一种灵魂的修炼，当他的心灵像外部世界一样博大和丰富的时候，他写出的东西自然会变得大气。

只要出自托尔斯泰的手笔，无论大作品还是小作品，都有一种独有的大气，无论是《战争与和平》，还是一些很短的随笔，都带有一种浓浓的托尔斯泰味道。那种味道别的作家没有，也模仿不来，那是隐藏在文字背后的，是作家人格的体现。一个作家必须经过一种灵魂的历练，超越自己，达到一种很高境界的时候，才可能有那种大气。我在写《大漠祭》之前，发现了这个秘密——人格决定了一个作家未来的成就。

文学的训练是很必要的，但这种训练并不难完成，最难的还是人格的修炼。如果一个作家经过人格修炼，变成了大海的话，即使他绽出一小朵浪花，也会有大海的气息；要是他仅仅是一只猴子的话，无论他翻出多少让人眼花缭乱的跟头，哪怕得到了千百人的喝彩，他本质上依然是一只猴子。

所以，一个作家要是不注重人格修炼，仅仅是在技巧上玩弄花样，无论他玩得多么出色，都掩饰不住人格的小气和卑琐。老百姓对这样的作家很反感，这就是现在的文学作品被冷落的真正原因。因此，我很少在技巧方面下功夫，我更关注老百姓的灵魂。我喜欢透过一些表面现象，挖掘一些深层的东西。比如，当这个世界关注着某种现象本身的时候，我询问的却是它为什么会这样，导致这种现象产生的深层原因是什么，它是否与人类灵魂深处的某种东西有关。我关注的不是一个现象或者它的结果，而是它为什么会出现，促使它诞生的土壤是什么。

在“大漠三部曲”的第一部《大漠祭》中，我主要写了老百姓的生存状态，同时也写了一种灵魂的东西；第二部《猎原》中，我更是重点关注老百姓的灵魂和信仰；第三部《白虎关》中，我则偏重于寻找产生这种灵魂与信仰的文化土壤。因为灵魂是文化的产物——我所说的“灵魂”，是一种精神，是一种人们从心底里坚信与坚守的东西——有什么样的文化就有什么样的灵魂，究竟是什么样的文化土壤造就了这样的灵魂？这就比单纯的写人物灵魂更深层了一些。只是这种关注，对作家的要求比较高，它要求作家必须站得很高、看得很远，而且必须拥有一种智慧。智慧和知识、聪明不一样，它更是一种心灵的东西，不是靠算计或者死记硬背得来的。这意味着作家必须放下自己，融入生活，去悟一些东西，不仅仅是体验，更需要感悟。作品最终是作家人格的反映，艺术手法反倒是一种手段而已。在这一点上，西部的好多作家——甚至中国的好多作家——中间，做到的并不多，只有很少数的几人，比如张承志，他就做到了。这不是恭维，我不认识张承志，也没有迷过他的作品，但我迷过他这个人，我更喜欢隐在他文字背后的那种作家的人格。这是最难得的东西，我认为他是中国最优秀的作家。

当然了，或许你的梦想并不是成为一个作家，也许你想做一个画家、一个作曲家、一个歌手，或者别的什么。但是，无论做啥都好，技术的修炼都不应该凌驾于人格的修炼之上。如果仅仅重视技术的修炼，而忽视人格的升华，就永远不可能成为大家。因为，没有博大的胸怀，你的内心就装不下整个世界，你的格局一直都会非常小，你根本无法达到一种很高的境界。无论你能赢得多少掌声和吆喝，都只会是一些过眼云烟。岁月会把你的存在轻易地抹杀掉，因为它只会留下一些对整个世界有着真正价值的名字。你永远都要记住，对于喝水的人来说，杯子再漂亮，也只是工具，人们愿意欣赏杯子的美丽，但最终他们更需要杯子里面装的水。所以，无论你想做一只什么风格的杯子，都不要忘了在杯里装满智慧的活水。

6.

重要的完成

我的人生中有两次重要的完成：第一是文学上的完成，我完成了从文学青年到作家的蜕变，而且我认为自己也算得上是一个优秀作家；第二是人格上的完成，从最初一步一步战胜自己到今天，我已经消解了一些贪婪、仇恨、愚痴之类的东西，完成了人格的升华，得到了究竟的快乐和智慧。

好多年前，我碰到一个网友，他这样告诉我："雪漠，对于今天的你来说，多写几部书和少写几部书不是最重要的，最重要的是你要让自己的人格更趋完美，用人格的力量去实现自己的某种人生追求，这时候人格的修炼和人格的向上比创作更重要。"我始终把这句话作为我人生中非常重要的忠告。他说得非常好，当一个作家到了一定的时候，他的创作就不应局限于文字的创作，而更应该让自己成为一个作品。所以，我一直对这位朋友心存感激。我觉得他是我人生中最重要的导师之一。虽然他没有什么名气，但是他这样忠告我的时候，却给了我一种灵魂的震撼。我觉得，这辈子除了写好这些书之外，更重要的应该是让自己成为一个真正的人。

一个真正的人，就是一个心灵能够自主的人。怎么才能知道自己的心灵能不能自主呢？你要看自己在面对世界上的许多诱惑时，是放弃自己原来的方向，向它们走去，还是对它们微微一笑，继续走自己的路。

我认为，作为一个作家，首先要做到入世，深入生活最底层，同时又要能够出世。仅仅入世，而没有出世之心，就不会有大出息。什么叫“出世”？就是能够远离世俗的许多东西对心灵的诱惑。这意味着你能够舍弃一些与目标无关的东西，包括赞誉、享受与娱乐等。你必须舍弃许多东西，才能得到自己真正追求的东西，鱼与熊掌不可兼得。所以，我非常珍惜时间。我曾给儿子算过一笔账，人生即使能活一百年，也不过三万多天，除去吃饭、休息以及必须花费的时间外，剩下的并不多。在这有限的生命里，如果不能珍惜时间，分秒必争，就很难达到最高境界，也很难成为大家。

这不是一种知识，而是一种大自然赋予我们的生命的直观体验。城市的孩子接受的所有教育，都是让知识之水填满自己的生命空间。但是像我们这一代生长在西部的人，首先面对的是自然。面对自然的时候，人本身的那种生存信念将会变得无比强大，他们明白自己无论如何都先要活下去，然后才是活得更好。这种理念和生活环境之间有一种反差，这种反差会让人产生思考，包括造成的痛苦、挤压的根源等，这就会让人拥有一种知识之外的生命体验，这种生命体验对一个作家来说是非常重要的。比如，在《无死的金刚心》中，琼波浪觉经历的所有神秘经历，我都经历过。他在那些空行圣地的旅行，也曾发生于我的修行经历中。没有实修和证悟，就不可能有《无死的金刚心》。

所以，我的小说中，很多作家一笔带过的东西，却可能是我着力渲染与表现的。例如死亡及苦难带来的感悟等。我要表现的，是那种很多人都会忽略，或者无法感受到的生命状态，那种面对严酷的外部世界时迸发出的本有的精神力量。这种描述是不可能单凭想象完成的，它要求作家必须有过相应的灵魂历练，有过深入的思考，并且能在历练、思考之后实现超越，那个时候，才能写出我着力渲染的东西。这是一般的文字、技巧和知识所不能达到的深度，它需要一种生命的质感和强大的心灵力量，这种力量与体验，是无法像知识一样，被理性所吸纳和复制的。它是生命中一种类似发酵的变化，是一种生命本有智慧的显发，这样的思考、思想非常重要。当然，要达到这一点，每个人都需要一个超越过程。

《大漠祭》之前的练笔，我很苦。有多苦呢？刚开始我只想写中篇小说，但一直都写不出自己满意的作品。经历了从写到废、再写再废的过程，好多年间一直是那样，我几乎一直处于噩梦的状态。如果走不出这种状态的话，我甚至可能自杀。因为那个时候，我既没有希望，也没有乐趣，无论怎样都写不出自己想要的东西。那时我受现代派的影响较大，后来舍弃了《长烟落日处》中现代派的那种浓缩笔法之后，重新练笔，寻找新的写法，像苦行僧一样地苦修，直到三十岁时才豁然开朗，领略到创作的乐趣，感到自己什么都明白了，近似于“顿悟”，眼前一片光明。到了写《大漠祭》的时候，我已经很平静了。越往后，我越感到自己不是在写作、在塑造，而是任由文字自然地流淌，接近于一种天人合一的状态，这时我悟到了“文章本天成”的内涵。所以，在《大漠祭》的“序”中我就非常自信，坚信作品会有价值。

西北师范大学有位中文系教授叫张明廉，他有个很好的比喻，他说，雪漠的小说非常像火山在喷发。我写作的时候确实是那样。我所有的小说，包括最初的《大漠祭》《猎原》《白虎关》，一直到《西夏咒》《西夏的苍狼》以及《无死的金刚心》等，都是在喷发，喷发的过程中我完全忘了自己在写作，而只是任由灵魂在流淌，指头在跳舞，人和整个世界达成了一种共振，在一种巨大的快乐和宣泄之中流出诸般文字。这种状态下，我首先感受到的就是快乐——那种消失了自我，将小我的存在和某个巨大的存在联成一体产生共振时的快乐。所以我说，我的写作仅仅是在享受快乐，我不去考虑一些技巧，因为任何技巧、任何概念，都不能局限一个鲜活的灵魂。

我和人民文学出版社的陈彦瑾女士搞过一个对话，她说，按现有的一种标准来看，《西夏的苍狼》存在着一些缺陷。我说，你是按照北京大学教给你的那些文学理念在衡量它。这个理念、这个规矩是你们定的，遵循这些规矩的人，你可以用这个标准去衡量他，去束缚他，但雪漠的小说和创作不是这样。我根本不在乎这个规矩，我只愿意让我生命中那种巨大的诗意喷发出来，让自己感受到巨大的快乐，让生命中的那种能量、那种磁性，去磁化与我有缘的那部分读者。所以，《西夏的苍狼》《西夏咒》有很多粉丝，还引出了很多话题。原因就在于他们的心灵和我的心灵达成一种共振之后，产生了一种类似于心心相印的生命感悟。这不仅仅是技巧上的表述，也不仅仅是一种文字和文字之间的交流，而是心灵和心灵之间的沟通，是灵魂与灵魂之间的共振。

所以说，我人生中两个最重要的完成，并没有孰先孰后的顺序。事实上我认为，人生中的一切，不管是文学修炼也罢，日常与人交往也罢，处理生活中、工作上的事务也罢，绘画技巧修炼也罢，什么也罢，都不应该与人格修炼分开，它们都是修炼人格、提升自我的契机。这是我很重要的个性特征。正是这样的一种个性特点，成就了今天的雪漠。

7.
迎合与卖弄不是成功

有人问过我这样一个问题："难道您从来没有渴望过获得一些新鲜的知识、新鲜的世界观和价值观这些东西吗？"

我告诉他，我读大量的书，从西方到东方，甚至不同宗教的书我都读。但我读书有一个标准，就是所读的东西必须像这杯水一样，能滋润我的生命，能为我提供营养，它不是镣铐，不是绳索。要是这个东西束缚了我心灵的自由，变成一种枷锁和镣铐，我就会毫不犹豫地打碎它。任何知识都是这样。对于一个作家和大手印行者来说，世界上所有的知识都只是营养，而不是监狱和囚笼。

所以，我吸收大量的东西，就像一个孩子喝牛奶，吃牛肉，吃大量的营养品，最后将所有吃下去的东西都化成自己的血肉，这时候，他就会变得更加强大。可是你从他的细胞中，再也找不到牛肉、牛奶、营养品的影子了。就是说，过去的营养不能束缚一个人鲜活的灵魂，但可以为他提供成长所必需的养分，让他变得非常博大。当小孩子变成一个巨人，有巨人的体魄、巨人的灵魂、巨人的力量之后，你看到的只会是那个巨大的他，而不是成长过程中为他提供过营养的所有食物。我和知识的关系，就像这个孩子与他的食物。

现在，很多作家都在不断套用着这个主义，或者那种技巧，他们的目的就是炫耀自己学到的那些东西，或者有意地迎合某一种社会需要与准则，迎合一种流行的概念。之所以这么做，因为他们想要获奖，想要得到别人的喝彩。当这些作家这样创作的时候，他们可能真的会赢得一些喝彩，因为他们提供的是某个时期社会上大部分人都喜闻乐见的东西，一些如时尚衣饰般的、只能满足人们阶段性审美标准的东西，但时尚的风向标总在不断变幻着，这种喝彩也很快就会过去。

为什么呢？因为每一个时代都有不同的喜好，都有流行的时尚，所有流行的时尚其实都是一种情绪，情绪很快就会过去。但人类有一种不变的东西就是本有的人性，这是相对永恒的东西，是不变的。任何一个时代，只要有人类，就有人性，就有向往，有追求，就有“人”这个物种有而别的物种所没有的一种心灵力量，这个东西可能是相对永恒的。

要想让作品拥有这种力量，作家自己必须先拥有这种力量，为此，作家们首先要通过自我修炼，让心灵变得非常强大，强大到可以拒绝整个世界——这种拒绝不是排斥，而是一种完完全全的自主。所谓完全的白主，意味着整个世界都是他的营养，都在不断丰富着他的生命体验，但却不能干预或者控制他的心灵世界。这时候，他的心灵就会非常强大，强大到像一个独立的国家一样。这种强大与独立，保证了他心灵与思想的自由。当心灵世界与外部世界变成两个独立存在的时候，它们就可以平等对话、交流，可以和平共处，不会互相侵略。也就是说，外部世界无法控制我们的心，我们也不想控制外部世界。当一个作家达到这种境界的时候，他就拥有了人类灵魂中非常需要的一种东西——强大的精神力量，比如孔子、康德，他们的心灵就拥有这样一种令人赞叹的力量。当整个世界都拒绝孔子的时候，他带着几个弟子像丧家之犬一样周游列国，但被驱逐的仅仅是他的身体，他的心绝不是丧家之犬，他那种心灵的力量仍然非常强大，强大到足以影响中国几千年的历史；康德也是这样，从这一个瘦瘦的小老头身上迸发出的精神力量，可以改造一个世界。

人类之中有一种伟大的灵魂、伟大的存在，他的伟大无关他的世俗身份，不管他是作家也罢，哲人也罢，思想家也罢，即便他原本只是一个不识字的普通人——比如禅宗六祖惠能大师，只要拥有这种巨大的精神力量，他就自然会变得非常伟大。这种东西来自人类文明营养的滋养，同时也是人类文明最大的一个营养母体，会给人类本身提供很大的营养。我的“灵魂三部曲”《西夏咒》《西夏的苍狼》以及《无死的金刚心》，就是在这样的一种滋养中

诞生的作品。

我并不是为了赢得世界的认可或者让世界为我的观点买账而写它们的，所以我不会迎合小说的规矩、读者的阶段性偏好或者某种形式化的东西。我不会为鲜活的灵魂打上很多烙印。我的所有小说，都仅仅是载体，它们承载着我的思想和我灵魂的声音，这种承载方式是世界能够接受的，这就为我与世界的沟通和交流提供了可能。它不是我用以牟利的工具，所以我绝不会为了获得喝彩或者别的什么东西，而改变我的思想、扼杀心灵与小说人物们的自由，来迎合这个时代所流行或者曾经流行、将要流行的某种观点和准则。

《西夏的苍狼》的编辑在向网络推荐这本书的时候，提出了“用爱诠释人类终极梦想”的说法，并且提出了人类的终极追问——人为什么活着？人活着的时候面临什么样的困境？当爱与信仰纠结的时候人类应该怎么办？当没有爱的时候人类应该怎么办？人类的梦想中有哪些东西？这些问题都是人类共有的，千百年来一直是人类向往的，但一直以来都没有得到解决。所以，只要有人类存在的一天，这样的发问就不会止息。比如书中的黑歌手寻找娑萨朗的过程，任何一个有素养的宗教学家，都会从这个过程里面发现一种心灵的奥秘，他会发现这个娑萨朗的寓言几乎承载了所有宗教的追问、所有信仰者的思考，以及所有心灵追求者诸多的向往。

当然，每个人心中的娑萨朗或许都有一个不同的名字，可能是爱情，可能是事业，可能是梦想，也可能仅仅是对某一种情感的向往，比如一份感动。有时候，一个女人，一个女孩子，一生中滋养她的，可能仅仅是一种不经意间享有的诗意。这份诗意或许来自一首歌，甚至来自一缕清风、一声鸟鸣，非常质朴，非常简单，但她也许一辈子都会记着这个东西，每次经历磨难或者挫折的时候，这份诗意都会温暖她的心。这种毫无功利目的的诗意与陶醉，正是人类灵魂非常需要的东西。

我认为，伟大的作家，伟大的人，应该为人类贡献他们灵魂中真正需要的东西。这种贡献的前提，是他自己先成为一个心灵与思想都独立、自主的人。迎合与卖弄，不可能让作家进入人类灵魂，也不可能让他们成为一个真正的人。而我，也不愿意成为一个这样的作家、一个这样的人。

8.

掌握拒绝与接受之间的度

拒绝这个世界上的一切诱惑，并不意味着，你要拒绝这个世界上所有的东西。因为，一朵实现了超越的莲花，它仍然必须生长在池塘当中，吸收淤泥的养分，滋养自己的成长。一旦离开了池塘，它就迟早会凋谢，除非是一朵假花。人也是这样。一个人不能全然拒绝世界上的一切，他应该保有一颗独立自主的心灵，接受有益的营养，拒绝一切对心灵宁静的干扰。

我举个例子，在凉州的家中，我的电脑在客厅，当我进入客厅上网，就可以通向世界，就可以吸取世界的营养，把我的东西传向世界；当我进入我的佛堂写作时，我就进入了一个封闭的世界，任何东西都干扰不了我。我的家就是这样，具有浓浓的象征意味。现在有好多人，他们有很好的条件，可以进入世界的最前沿，获得许多资讯，但他们没有独立的灵魂空间，他们永远是漂泊者，无着无落，没有根。我跟他们不一样，我的佛堂是灵魂的家园，而电脑则是走向世界的通道。

我愿意为接受新事物花费一些时间，因为它能让我做一些令自己受益无穷的事情，比如办网站、学电脑、接受一些最新的文化资讯等，这种付出是值得的。如果不吸收先进文化，我就会变成一个时代的落伍者。但是，人不但要学会接受信息，更要学会拒绝信息，而且拒绝比接受更重要。接受是为了给灵魂提供营养，拒绝是为了使自己能独立自主地进行更深层的灵魂思考。这需要掌握一种度。能处理好接受与拒绝之间的关系，你才会受益无穷，否则，你就仅仅是个数据库或者书橱。

现在，有好多人仅仅是信息的数据库，因为他们毫无选择地接受了太多的资讯，以至于无法分辨哪些才是真正对自己有益的东西。他们在欲望以及许许多多的规则与标准当中迷失，整个价值评判体系都变得混乱不堪。这种混乱，导致他们不得不依赖欲望为自己做出选择，或者盲目遵循那些约定俗成的规矩与标准。这无疑是一个恶性循环。但在他们找到信仰之前，这种情况很难得到真正的改善。为什么呢？因为人的本性当中，就有一种动物性的东西，也就是欲望性的东西，这个东西远远比人的智慧更强大。或者应该说，这种东西总是掩盖了本有智慧的光明，让它无法照亮迷路者的心灵。所以，人们必须用一种强而有力的方式，来剥除心灵的垢甲，拨开遮挡晴空的阴霾，这时候，本有智慧的光芒才会显发，他们的心灵才能获得宁静，变得快乐、独立、自主。这种强有力的方式，就是一种戒。戒，就是拒绝。当一个人没有智慧的时候，单凭自己的判断，很难从海量信息中筛选自己所需要的那些，所以他需要戒的力量，来帮助他拒绝一些污染心灵的东西。当这种戒成为习惯的时候，他的心灵就会产生一种定力，使他一天比一天远离那些迷惑人心的欲望。当他远离欲望的时候，心灵就会变得宁静，智慧也会慢慢增长。直到有一天，他看见头顶的那轮明月——他的真心，他也就开悟了。在这之前，他必须学会拒绝。

在追索的路上，也许你会碰见金钱，它对你招手，希望你能放弃自己的追求，向它走去，你要有对它微笑拒绝的力量；也许你会碰见美丽的女孩子，她对你招手，希望你能放弃自己的追求，向她走去，你也要有对她微笑拒绝的力量。你不要盲目地否认内心潜藏的欲望，你要看清楚它们，然后超越它们。当它们不能控制你的心，甚至不能动摇你的心时，你就得到了一种完完全全的自主。

多年之前，有人问我，你有没有女性朋友，我告诉他，我有两个写作空间：一个是我家里，专门有个佛堂，非常庄严，非常美；第二个空间，是关房，在乡下，连老婆孩子也不知道具体地点。在明白之前，当我从外面的世界进入关房时，有时也会非常孤独。那时，我会打开手机，想给人打个电话，可我把电话号码从头翻到尾，却找不到一个能打电话的人。这说明，我在进入孤独空间时，本意是为了躲避热闹，但我的潜意识中，仍然非常需要和别人交流。但我至今仍然没有女性朋友。原因是我没有碰到能值得叫我投入生命、花费时间的女子。除了必要的深入生活，我每月大约只跟一个朋友保持联系，他是个老夫子，是个藏学家，此外，我拒绝一切应酬。当然，后来明白之后，那份孤独被另一种富足的清明替代了，无论我自己还是别人，都不再问女性朋友这类问题了。

一个人在面对这个世界的时候，他应该有个自主的心。面对所有虚假的喧嚣与繁华时，你始终要清醒地叩问自己，为什么我要成为其中的一员，为什么我不能守住我的心，不能走好我的路？你始终要明白，只要你的内心有力量，你就能主宰自己的人生。无论遇到的是顺境，还是逆境，你都有承担的力量，有超越的力量，这样就没有任何困难或者诱惑能够将你打倒。这种力量来源于何处呢？来源于一种洞察世间假象的智慧，也来源于你对“活着的意义”的一种笃定。

当一个人发现这个世界上所有东西都靠不住、都会变化的时候，他会陷入一种恐惧和无助当中。他可能还会觉得有些厌倦，觉得人生活在世界上，追求的所有东西都是一种梦幻泡影，他留不住任何东西，包括他的呼吸、他的肉体。所有东西都像流水一样，哗哗流动着，他看着这个世界，就像一个人坐在船上，看着那些载着他前行的水波。他知道，他看到的一切都会改变，一切都不会定格在某个时刻，包括他的记忆。这个时候，他会觉得自己所做的好多事情都毫无意义，无论是工作也罢，生活也罢，恋爱也罢，一切都留不下任何痕迹。他会叩问自己，难道一个人活着、生活、爱，仅仅是为了动物性的需要，仅仅是因为他不能寻死吗？这样的活，又有什么意义？他会不断叩问自己的心灵，寻找一个能让自己快乐、积极地活下去的理由，他知道，假如不能如此，他必定带着不甘与空虚痛苦地死去。

我在十岁的时候就开始思考这个问题，我曾经找不到答案，直到看见佛陀割肉喂鹰、以身饲虎的故事，才知道，有一种人活着是为了一种精神，一种利众的精神，这种精神比肉体更加永恒。我甚至认为，所谓的灵魂，实际上也是这个东西。我觉得，人活着，就应该守护这样一种比时间更真实的东西。我想，这也许就是很多人梦想的本质。

当你明白这一点的时候，就自然掌握了拒绝与接受之间的度。因为你知道，在这场幻觉般的生命当中，你唯一的目的，就是实践一种真理，再无所求。对于一颗无求的心来说，这个世界上没有任何诱惑，没有任何污染，也没有任何困难。一切都在为你提供营养，但一切都无法对你造成束缚，这样一来，你的生命，必将会变得不同。

9.
正确地取舍

好多人一听某人学佛，便问，那你现在还吃不吃肉？可见，他们对佛家印象最为深刻的，还是它的“戒”。在好多人的心目中，戒是一种枷锁，一种镣铐，一种让自己活得不快乐的东西。但事实上并非如此。

什么是戒呢？敬畏一种慈悲博大的精神，向往之，向它看齐，有取有舍，就形成了“戒”。简言之，就是知道该做啥，不该做啥。世间的规律是“自作自受”，种瓜得瓜，种豆得豆。想得善果者，就得种善因；不想尝恶果者，就不要种下恶因。可见，戒是为自己守的。

我举个例子，佛家为啥要戒喝酒？因为酒能乱性。能控心且不会乱性者，便可多喝酒；一饮酒便乱性者，少喝或不喝酒。当代人也可以喝一点红葡萄酒，因为它对身体有一定的好处，但不可过量，酒多伤身。

其实，许多人的命难，都是不明戒而致，他们或造杀业，或吃有毒的肉，或放纵生命，或利欲熏心，造成生命机能的丧失，终而早逝。这就像河边竖了木牌，上面写着“危险，莫入”，但有的人还是非要在此河中游泳，结果被鳄鱼所伤，甚至丧命。所以说，你可以不知道啥该做，啥不该做，你甚至可以明知故犯，但为此付出代价的，总不是向你授戒的人，而是你自己。

有人曾问我如何守戒，都该守些什么戒。由于我的戒只用于律己，所以没在这方面有过专门的著述，也从未将其用于律人。不过，我认为学习一定的自律之法，总是有其好处的。我曾经学习过各种自律之法，发现它们皆有过人之处，它们最大的作用，就是让一些原本不知道的人知道啥好啥坏，啥该做啥不该做。这是一种准则，很像中国的长城，是为防外贼进入的。戒律之墙，可阻邪风入内吹熄智慧之烛。无戒便无定，便无慧，便无佛家。无戒，更无生命的健康和自由。那避恶，便是戒；那趋善，便是慧；那妙用，便是定。

万一不小心犯了戒怎么办？你只需忏悔，不再犯了便是。但注意，忏悔不是罪恶感。罪恶感仅仅是发现罪恶，而忏悔是远离罪恶。你不能仅仅自省，仅仅停留在发现罪恶的那个阶段，你还必须自律。假如你一不留神犯了戒，或者在不明白该戒啥的情况下犯了戒，那么就要比往常更加自律，不能让自己重蹈覆辙。这就像你一天天清除着土壤中的毒素，使它不再滋长恶的种子，也使恶的种子得不到生长必需的养分，无法开花结果而慢慢衰亡。

你始终要记住，戒是自我拯救之法，你永远都不是在为他人守戒。你可以用任何一种借口，解释你犯戒的情非得已，但你仍然必须为自己的行为负责。就像一个淘气的孩子不听妈妈的话，偷吃了有毒的糖果，他可以用许多种理由为自己开脱，但他仍然会因此而中毒。就是这样。现在有好多人，口头上说得头头是道，但事实上根本不肯好好去修，甚至不肯守好他该守的戒。不修行、不守戒的时候，他可以用各种借口安慰自己、搪塞上师，可是他无法挽回已经被浪费了的生命时光，也无法改变因不守戒而作下的恶。所以，你一定要明白，无戒者便是自我放纵，自我放纵者多害人害己，这样的人，是绝对不会得到幸福的。所以，假如你真的想在有限生命中，成为一个值得尊重的人，成为一个真正有价值的人，那么你就要守好那灵魂的标杆，守好你该守的戒。在生命时空中的每一分每一秒，你都要保持一种清醒的警觉，时刻观察自己心灵的状态，不自欺欺人，也不昏沉，牢牢记住啥该做，啥不该做，并且让这种习惯成为你的一种生活方式。这样的戒，才有真正的意义。

有的人在道理上明白自己该做啥，不该做啥，但他控制不了自己的欲望之身，行为上不断犯戒，还用佛家的空性之说为自己开脱。这种人，我们称之为“狂慧者”。他们往往谈空说密，出口皆是禅理，但行为上却又自私自利。这样的人，不管他懂得多少道理，仍然是愚痴之人，因为他没有做到真正地明白和放下。修行人也罢，日常生活中规范行为者也罢，都需切记，千万不要自欺欺人。不要用借口来搪塞他人，更不要用借口来搪塞自己。永远都要明白，抱有一种侥幸的心理，不好好珍惜你的生命时光，不好好珍惜你接触到的一种真理，那将给你的人生带来巨大的遗憾。

要知道，健康的身体，是一笔巨大的财富，干净的心灵也是一笔巨大的财富。不要用放纵来污染自己的干净，也不要用放纵来糟蹋自己的健康。你可知道，有好多人，他们在生命无法继续时，才明白真理，放下了好多东西，但他们已经很难改变那既定的命运了。当然，在他们明白和放下的那一刻，生命的价值已经发生了质的改变，可是假如这种改变来得更早一些，或者他们没有把自己逼上这样的一种绝境，那么他们定能为世界创造一种非常美的东西，也定能弥补人生中的许多遗憾。可惜，并不是每个人都有这样去做的时间。

10.

偏见是局限的产物

顾名思义，偏见，便是偏于某一点时所产生的见解，所以这里面肯定有个角度与局限的问题。心量越小，局限越大。所以说，好多不懂为大局考虑的人，总纠结于一些小小的个人得失、小小的对与错，无法站在更高的立场来考虑问题。于是，人与人之间的纷争、群体与群体之间的纷争、民族与民族之间的纷争、国家与国家之间的纷争，便也此起彼伏了。实际上，世界上诸多的纷争与纠斗，都是因为人们总喜欢分个彼此，彼此之间又各具不同的立场，于是便有了偏见。偏见也是分别心。当一个人以“我”为出发点来解读这个世界的时候，他就有了许许多多的分别心。

我举个例子，假如你的心量仅仅能装下一个家庭，那么你就会为这个家庭而奋斗，所有阻碍这个家庭得到幸福的因素，都是你的敌人；假如你的心量更大一些，能装下一个民族，那么你就会为这个民族的荣辱而奋斗，所有阻碍这个民族得到幸福的东西，都是你的敌人；假如你的心量再放大一些，能装下整个国家，那么你就会为这个国家的兴衰而奋斗，所有阻碍这个国家稳定兴盛的东西，都是你的敌人……当你的心量不断放大至能包容人类、世界、宇宙的时候，你不愿伤害、为之奉献的对象便会越来越多。

大部分人在大部分时候，都不愿意伤害自己的家人，尤其是自己的父母、子女，因为在他们的心中，这些人与自己是一体的，他们是血脉相连、互相依存的，这种亲缘与感情上的联系，使他们能够无条件地包容对方的所有毛病，无条件地宽恕对方所犯下的错误，无条件地为对方的悲伤而感到悲伤，为对方的快乐而感到快乐，为对方的成功而感到骄傲，为对方的失败而感到落寞。所以，佛家才说，要视众生为父母。当你把宇宙中的一切生灵都当成自己的父母时，你就会对他们拥有一种爱与包容，拥有一种理解与祝福，你不会再为了自己的得而伤害他们，也不会为了自己的失而报复他们。这个时候，在你的心中，宇宙会变成一个同呼吸、共命运的生命整体，而非生命个体的

简单组合。在这样的情感基础之下，你才会真正理解什么叫“利众精神”。

利众精神，就是把宇宙间所有生灵当成你的家人，然后尽量多地去做一些能令他们都得到幸福的事情。而家人的幸福，也正是你的幸福。在这种为群体幸福而跋涉的道路上，你一天又一天地成长着，一天又一天地升华着，不知不觉间也完成了最大的利己。

我说佛家的利众，好多人可能觉得跟自己没有什么关系，因为自己并不信佛。但是我换一种说法，说为家人奉献，为家人造福，好多人就都能理解，而且觉得这是个理所当然的事情。为什么呢？就是因为角度与局限。当你的角度改变之后，理解、包容与爱，其实是相当简单的一件事，并没有什么伟大与不伟大的区别。我们说一个人伟大，或者一种存在伟大，就是因为这个人或者这种存在，能够突破一种角度的限制，站在一个非常高的层面来审视和对待这个世界上的一切。

我再举个例子，为啥好多人一见到蚊子就觉得必须把它打死？因为他们知道蚊子会吸自己的血。但实际上，父母养大一个孩子，花费的时间与精力、承受的痛苦，远远比在蚊子身上付出的那点点鲜血多上好几万倍，但父母仍然深爱着自己的孩子。他们知道要养育一个孩子，让孩子健康快乐地长大，自己必须承担一些责任。这种爱充盈了他们的心灵，以至于即便孩子捅了他们一刀，他们也仍然会无条件地宽恕那不懂事的孩子。

大手印文化最伟大的一点，就是“大而无外，小而无内”。这句话的意思是说，整个宇宙无非家人，所以已经没有了一切的内外、你我之分。它有一种“无缘大慈，同体大悲”的东西，它是一种遍及一切众生的爱，是一种大爱。世俗的爱，无论男女之爱，还是亲人、朋友间的爱，都需要一种因缘。大爱也需要因缘，而这因缘，便是“无缘大慈，同体大悲”，是一种真正的慈悲。拥有这种慈悲心的人，我们称之为具有真精神者，这种人是没有大痛苦的。为什么他们没有大痛苦？因为他们心中有爱，一种无须任何回报的爱，一种无求的爱。

比如，一个男子深爱一个女子，他的爱已经到了一种无求的地步。女子爱他当然最好，但假如不爱他，他也能接受。他甚至能衷心祝福女子找到她爱的人，在另一份爱中获得自己想要的幸福。因为，在他的内心深处，自己与那女子已经化为同一个人，她的幸福，便是他的幸福，她的痛苦，也变成了他的痛苦。他根本不忍心让那女子受到一点点伤害。他能真切地感受到她内心世界中所发生的一切，他甚至能真切地感受到她脉搏的跳动。他爱得至深，以至于忘记了自己。如果一个人能体会到这种爱，让这份深深的爱充盈自己的心灵，并且将那爱的对象，换作整个

世界。那么，他便拥有了一种大爱。

但是，拥有爱的同时，也必须拥有一种智慧，你必须知道怎样做，才是正确地爱这个世界的方式。假如一个母亲深爱她的孩子，希望孩子能得到快乐，于是放纵孩子去做任何他想要去做的事情，不给他人生的指引，也无法给他正确的指引，那么，这孩子长大之后很可能会成为一个自私自利的人，除非他遇到了生命中的贵人。所以，佛家并不提倡单纯的慈悲，或者单纯的智慧，佛家所提倡的是“悲智双运”，就是说，慈悲与智慧要相辅相成，不可有所偏废。

要想实现这一点，你就要不断放大自己的心量，不断突破角度与局限，不断站在更高的层面来审视自己的人生、审视整个世界，消除分别心，消除偏见。这个时候，你眼中的人生，你眼中的世界，乃至你的整个命运都会改变。

11.

如何面对顺境

好多人都知道，要用很好的心态对待世界上发生的一切，尤其是在面对困境的时候，但有时候，最难面对的并非逆境，却是顺境。

古人说得好："生于忧患，死于安乐。"为啥这么说？因为，在顺境当中，大部分人都会不知不觉地忘记自省，忘记忏悔，忘记好多应该记住的东西，尤其是在没有明心见性的时候。而对于大部分人来说，如果感受不到生活中的苦痛，不遭受到难以承受的痛苦，好多人都不会反思人生，不会走上心灵救赎之路。曾经有人问我，需要信仰是不是弱者的表现？人为什么在走投无路时，才和信仰搭上关系？我告诉他，因为许多人只有在走投无路时才去关注精神。平时，他的心灵被外部的世界左右着，只有在他孤独和失落时，才可能会发现外界的虚幻而在乎心灵的真实。假如一个人仅仅在信仰中寻找一种精神的慰藉，那么他就不是真正的信仰者。被当作某种精神慰藉的信仰是一种低层次的信仰，是对现实绝望之后，去虚幻中寻求寄托，这种信仰不是真正的信仰。真正的信仰是拥有一种智慧，是对真理的坚信不疑。它已经没有了世俗交易似的需求，比如，希望这种信仰给他带来好报，希望某种供养给他带来福分，或希望信仰为他消除疾病和灾难等。真正的信仰没有功利色彩，信仰本身就是目的。真正的信仰者，对真理的追求和信仰，不需要任何条件。所以说，真正的信仰者绝不是弱者，反而会是强者——心灵的强者。他的强，在于他能够控制心灵，至少他有这种追求，并且在无数次的实践中走近它。这是好多拥有巨大世俗权势与财富的人所做不到的。

当你达到一定精神境界的时候，这种“强”还会变成一种王者之气。关于这一点，我在小说《西夏的苍狼》中有过这样一段描写：“苍狼的神情很傲慢，但不是那种浅薄的傲慢，而是从骨子里透出的一种王者之气。他想起了书上看过的一个词：佛慢。也许，那佛慢便是苍狼的这种神情。苍狼淡然地望着远处，眼神中充满了辽远和苍茫，那眸子里盛的，仿佛是整个世界。大行想，纵然是地球马上要爆炸时，它也不会惊慌失措的。”怎样才能做到这一点呢？你需要放下。放下一些跟生命和智慧本体无关的东西。“众里寻他千百度，蓦然回首，那人却在，灯火阑珊处”，然后就变成了“大狮子”。

我在一次网络访谈中专门谈到过什么是“狮子”。我这里所说的“狮子”，非指兽中王，而是代表法器。“淡定且从容，独行天地间。奋然无怯意，我即法身王。吁气成太虚！”这就是狮子。那么人怎么知道自己到底是狮子，还是兔子？实际上，狮子与兔子并无绝对的区别，其唯一不同的地方，仅仅是心。狮子长了兔子的心，便是兔子。兔子有了狮子的心，就是另一种意义上的狮子。我曾在《大漠祭》序言中说，狗也狮子般捕猎，鹰也鸡一样刨食，区别的，是心灵。

不过，好多人未必能理解这一点。尤其是那些处于顺境当中的人。当一个人做什么事都非常顺利的时候，他很容易就会沾沾自喜，丢掉一种非常重要的警觉。可是，如果他不时刻保持着一种清醒的警觉，就没有办法时刻了知自己的心灵状态；如果不能对自己心灵的状态了如指掌，他就很容易会被事物的表象所迷。比如，你也许会因为轻易获得了一些世间成绩，就想要得到更多，或者会对得不到这些成绩的人产生轻慢心，等等。有的修行人，在修行状态比较好的时候，很容易会掉以轻心，觉得现在这样就很好了，已经很逍遥，很快乐了，然后就满足了，以至于放松了警觉，也放松了修行。实际上，当一个人处于顺境的时候，他们发觉不了好多东西，但这并不代表他们一定达到了某种境界。假如遇到了外部刺激，例如某种困境、某种打击的时候，他们仍然能够保持宁静、安详与快乐，这才叫遇事无碍。为啥好多人闭关的时候很宁静、很快乐，可一旦回到日常生活当中，就跟那些与他对着干的人打起架来，就是这个原因。

真正的智慧，是一种超越苦难的智慧，而不是只能在顺境中安逸生活的东西。英国作家阿兰·德波顿说过这么一个观点：“更伟大的智慧，存在于丰富的不幸之中。”当一个人在面对别人眼中的苦难时，仍然不觉得苦，甚至觉得那是一种快乐的体验时，他才真正超越了苦难。这个时候，他才能成为一只在大道上奔驰的“狮子”。

当然，苦难会让人发现无常，但苦难并非一个人觉悟的充分条件。也有很多经历了苦难的人，反而变得更加愚痴，更加贪婪。比如，有的人在知道自己得了绝症的时候，并不会想要珍惜自己剩下的时间、升华生命的价值，而是更加仇恨这个世界，觉得上天对自己不公，或者挥霍自己一辈子存下来的金钱，吃更多好吃的东西，玩更多没玩过的东西。当然，这也是一种生活态度，谁有谁的生活方式，谁有谁的选择。只是，这种及时行乐与堕落放纵，只能让一个人失去所有改变命运的机会，它绝不会带来生命价值的升华，或者其他什么好的东西。同样的道理，当一个人能够时刻提起正念，保持警觉，即使在顺境当中，也不忘记无常的真理，时刻把生命中的一切都当作修行，那么他就能够在顺境当中，做更多该做的事情。

时刻都要记住，心清净时，无处不是道场，包括拖地、吃饭等最普通的日常生活行为，也都是在修行。

12.

只读让人清凉的好书

我一直非常强调要读好书，那么什么是该读的好书？我的标准是：增加贪婪、愚昧、仇恨者，毒药；让人清凉、明白、慈悲、快乐者，好书。如果你愿意的话，也可以参考我的标准，选择一些你这辈子不读就一定会后悔的好书，而不要把宝贵的生命时间浪费在那些毫无意义、反而会让人堕落的书上面。例如，我几乎不读时尚流行的书，只会去读一些对自己的人生有益的书。我的首选，便是中外经典，然后选大文化类的书，如信仰方面的书籍。

我的读书，非走马观花，而是攻城式的读书，因为我习惯于一遍一遍地读书，直到把书中营养全部吸收消化为止。我始终认为，人的生命时光非常宝贵，我不愿意花费大量的时间之后，仅仅是满足自己的一种情绪，或者变成一个毫无意义的书库。我常认为，人生中的一切，世界上的一切，都应该成为一个人的营养，而非标签，更非枷锁。所以，我才能在世界提供给我的养分当中，一天又一天地长大，变成今天的这个样子。而有些人，他们脑海中有许许多多的梦想，却缺乏相应的行动，因为他们考虑得太多。老是考虑，老是不做，老是失望，老是埋怨，这样下去，迟早会变成忧郁症的。因此我从来不把时间浪费在犹豫上面，我只要选中了一个目标，就全心全意地去做，满怀信心地去做，我不去考虑做不成的时候会怎么样，也不去考虑我是不是能够成功。我总是充满自信，因为我很笃定。我心中有着非常明确的目标，所以把所有的精力都放在与这个目标有关的事情上面，舍弃了其他无关的事情。当你有了这样的一种笃定时，就会发现人生变得非常简单，因为你学会了如何去做出选择。

当一些年轻的朋友问我如何在读书上做出选择的时候，我建议他们先读老子、庄子，慢慢旁及其他经典。为什么？因为读书就如攀登高峰，如果你总是流连山脚的风景，就永远都锻炼不出登高的脚力。读老子、庄子的书，正如先上山顶，再窥万象。比老庄的书更值得读的，就是《金刚经》。当你锻炼好脚力，习惯于登高的时候，你就会慢慢爱上读好书。有一天，你会找到你生命中的那本书，找到它的时候，你也便得到了生命中的“贵人”。你的命运就会从此改变。所以说，好书如好人，你一定要好好珍惜它。如何珍惜呢？尽量往更深处挖掘，并且在你阅读的过程中，加入你对生命的热爱，用你所有的灵魂去感受。人生的任何阶段，都有需要读的好书。你记不记得它里面的内容都不要紧，你只要认真读了，便一定会有感悟，有了感悟，就要有行为。不能改变自己行为的读书，是没有用的。学了一点，就要用一点。读了好书，重要的是去做，而不是想，更不是背。背下的是知识，但经过了“悟”之后，知识也会变成智慧，滋养你的心灵，让你一天比一天更爱别人，自私少了，仇恨少了，埋怨少了，那便是受益了。

当然，有的人认为，生活在这个现实社会上的人，只读那心灵需要的书未必足够。因为他们非常实际，他们不相信那所谓的“无用之大用”。比起变心变命，他们更重视的，是眼前的东西，是看得见摸得着的利益。比如，他们更关心富翁们是如何致富的，更关心近期股票和其他投资的走势情况等。他们的心太忙，忙得没时间关心自己是否快乐，更没时间去倾听灵魂的声音。而我呢，我是忙得顾不上想“忙”了，只好闲着心做事，总是一恍惚，就过去了好几年。我也忘了自己快不快乐，但不同的是，我感觉不到烦恼。在大默中，我会发出很大的歌声。

但没有读书，就没有今天的我。直到现在为止，我仍然不断地读很多书，除了写作、坐禅之外，我的时间都用来读书了。我喜欢佛经、圣经、古兰经之类的书，正是在跟那些大师的对话中，我才一天天长大了。所以我觉得，你也可以试试看。选一本能真正滋养自己心灵的经典，认真读透它，别图多，只求精。要知道，读书如补充营养，无节制无目的地胡吃海喝，有时也会吃坏肚子。所以，读书重感悟，也重选择。如果你没有读书的习惯也不要紧，因为习惯是可以慢慢养成的。每天读几十分钟，开始时需要强迫，三个星期之后，就会习惯了。当你习惯了读书，甚至爱上读书之后，就会慢慢爱上一种自然、淳朴、简单、干净的生活方式。否则，你的心灵就会在不知不觉当中死亡。

人们常说，哀莫大于心死。这是对的。心灵的死亡，意味着生活感受力的丧失，意味着爱的丧失。心死的人，只会爱自己，是不会爱别人的。不过，假如你发觉自己的心灵已经死了，这也很好。为什么呢？因为许多人死了并不自知，这才是真的死，而那些自知“死”了的人，反而没有死，他们正在走向真正的“活”。

13.
心的超越

一个学佛的人，首先必须做一个明白人。多问问什么是佛家、佛家的解脱原理是什么、如何才能得到解脱、有哪些步骤。想要做一个明白的人，就要先找到一个过来人——我们称之为善知识，他比书本里的知识更重要——找到这个人之后，你才能真正进入修行之门。因为他是过来人，他不会走错路。佛家解脱的原理，就是一代又一代这样的人，将自己验证的真理以及方法传承下去，一代又一代的人在这种传承的引导下，自己再一层一层地印证、验证真理的正确性。所谓真理，是必须通过实践来验证的，它不是你自己认为的真理，不是你自己认为的解脱，而应该是一种经过了验证、达到一定标准的证量。很多自认为解脱了的人，其实只是陷入了无记与顽空，这种情况下，很可能就会堕入畜生道。所以，一定要做一个明白人，并且要找到能为你印证这种“明白”的善知识。

实在找不到善知识怎么办呢？你可以读些好书，比如，读读《金刚经》《妙法莲华经》《清净道论》等。但世界上也有很多打着佛家烙印的外道，其中不乏邪教，让很多人弄不清什么才是真正的佛家。

什么是附佛外道呢？如果不明白不认可佛的四个法印，即“诸行无常，诸法无我，有漏皆苦，寂静涅槃”，即使贴了“佛”的标签你仍然是外道，这就是“附佛外道”。所以说，我认为，单纯的出家，并不见得是真正的皈依。

我认为的皈依是：放下自己，融入另一个世界，或者说走进另一个世界。我说的这另一个世界就是佛家。如果你能够放下自己的一些东西——主要是执著、偏见以及世俗的欲望，尽量能放下它们的时候，就能够真正地走进佛家。当我们许下“走进”的愿望，并且以行为走进它的时候，我认为就是开始了一种皈依。有没有那种皈依的形式都可以，也就是说，你出不出家都可以。

发心，即许愿，就是不仅希望让自己用这种方式离苦得乐，而且希望让别人也能通过这种方式离苦得乐。这个“乐”，是一种真正的快乐，它绝不是损人利己的产物，而是利己的同时也能利人的东西。好多人说我非常大气，说我的作品也非常大气，但我并不觉得自己有多么大气，

我只是尽量想到别人。虽然我也时时想到自己，但我在想到自己的同时，也会想到别人。当一个人的心灵，既能容纳自己，又能容纳别人的时候，他也许就会被别人称为“大气”。真正的大气，其实仅仅是做到了不小气、不狭隘、不自私、不无知。所以说，世界上好多事情，本质上其实非常简单，之所以我们觉得它们错综复杂，是因为受到了诸多表象的蒙骗，不能洞悉那淳朴、简单的本质。出家这个问题也是一样。

出家是完全割舍了世俗的生活，但这只是一种形式上的割舍。很多人在形式上割舍之后，心灵上却不一定割舍得下。身出家的人，不一定心出家，而身未出家的人，有些却已经心出家了。就是说，这种割舍更多的是从一种心灵上的拒绝和放弃开始的。因此出家本身也是一种戒。所谓戒律，就是一种拒绝，有所为，有所不为。把全部的生命投入信仰，从心灵上拒绝世俗的一切，就形成了真正的“出家”。比如，我虽然穿着俗家的衣服，但我几乎一直是与世隔绝的，我总是与世俗保持着一定的距离，以禅悦为食，生活上也是离群索居。我觉得自己在心灵上已经出家了，至于外界怎么看，那是他们的事，我不在乎了。为什么呢？因为，佛家修炼的目的就是不在乎外界怎么看待自己。如果佛家要看别人的眼色做人，非常在乎这个世界怎么看你的时候，就不是真正的佛家，而是演员，这种修行仍然是一种面子上的东西，不是真正的智慧。我始终觉得，心里真的得到那种快乐清凉的时候，世界就干扰不了我，这才是真出家，才是一种真成就。当世界老是能干扰一个人的时候，说明他既没有真正出家，也没有真正皈依，这是我自己的一种非常简单的理解。

前段时间，我的学生心印出家了，她在生命最灿烂的时候得了绝症。无常撞醒了她的心灵，促使她真正走进了信仰，也走出了一直困扰着她的抑郁症及其他好多负面的东西，包括世俗享受、欲望及不好的生活习惯等。后来，她决定将自己全部的生命都投入信仰，所以就选择了出家。她出家的消息一经传出，便引来了外界如潮般的讨论。大部分人都非常不理解她的选择，但也有好多人，因她用出家的方式来表达一种拒绝与放下，而对她肃然起敬。当然，鱼游于水，鸟飞在天，谁有谁的选择，谁有谁的生活方式，并不是说所有的信仰者都必须效仿她的方式，纷纷放弃世俗的生活。但是，当这个世界需要你表态，需要你选择一种生活，需要你去拒绝一些东西的时候，你必须这样去做。要不然，你的生命小舟，就会被世俗的污浊之浪所左右，永远都去不了那个你向往的地方。

据说，有个名人说要出家，而且记者还拍到其本人礼佛的照片，但不久她又还俗了，还进行了整容，这时候好多人不理解，就觉得她在冒充，在炒作。在我接受一次媒体访谈的时候，主持人就问我对这件事的看法。我告诉他，所有的冒充，都表示她心里对佛家是认可甚至是向往的。况且，或许她并不是在炒作，只是情绪变了，想法随之变了，所以也就还俗了。这没什么奇怪的。因为，每个人的情绪都在随时变化着，作为公众人物的她也是这样。最初，她可能是真心想出家的，但她驾驭不了自己的心。当她觉得一切都没太大意思，想过一种远离世俗的清净生活时，可能就会产生一种出家的想法，并且还会在情绪冲动之下真的那样去做。但是，当她真正开始了一种清净的生活时，却发现自己的心灵并没有因为身体的远离，而真正远离那些世俗的诱惑。当她突然又被另一种情绪诱惑，不再满足于这种生活方式的时候，她也就不想出家了。所以，每个人在出家之前，一定要慎重。出家不是儿戏，它是人生的重要选择之一。

不过，真正的信仰不是一种情绪的冲动，不是说在你情绪高涨的时候，就对你信仰的对象非常虔诚，非常向往，当你情绪低落的时候，就远离它，生起退转心，不是这样的。真正的相应，跟真爱中的心有灵犀很像，但它毕竟不同于爱情。它是更高的一种东西。之所以说它更高，就是因为真爱虽然神圣美妙，但它毕竟是一种情绪。真正的信仰不是情绪，它是一种可以让一个人付出全部生命与灵魂来坚守的东西。如果你有一天高兴了，就相信它、向往它，有一天受到打击了，就怀疑它、远离它，那么你就不是在信仰，而是在做一种毫无意义的游戏。这种游戏不能改变你的心灵，更无法升华你生命的价值。所以说，人一定要有真的信仰，真的信仰才有意义。

四、在生活中觉悟

1.
身与心的和谐

我们总是强调心灵的时候，有的人就会觉得身体并不重要。实际上并不是这样的。很多时候，身体上的一些东西，会影响心灵的明白，会影响你心灵的状态。这就很像血管中积聚了许多垃圾之后，你的身体就会出现各种各样的不适一样。有的人心上明白了，但他们得了病，身体的病痛总是干扰着他们，让他们没有办法好好地修行，这是非常糟糕的事情。还有一些人，明白了一些道理，往往能将别人说得五体投地，但他们控制不了自己的身体。这也跟身体的脉结有关系。从本质上来说，烦恼虽属于心理，可也是生理的脉结使然，打开脉结之后，许多烦恼都会随之消失。那么，脉结是什么东西呢？佛家认为，脉结是生理上烦恼的基础，也是习气的产物，从缘起上看来，习气是生生世世业力的产物，所以脉结跟累世的业力也有关系。身体不听话的时候，心气就不自在；心气不自在的时候，一切都是空话，抛弃旧习气才会格外困难。所以，从佛家的角度看来，一个人想要消解所有的烦恼，光修炼心灵是不够的，还要修炼身体。

佛家有许多修身之法，比如大礼拜、宝瓶气等。这些方法跟普通运动的区别在于，它们不但可以让人更加健康，还可以打通人们身体的脉结。这是跑步、游泳、爬山等运动所无法实现的效果。然后，你还必须辅以健康合理的饮食习惯、作息习惯，这样一来，你才会拥有一副健康的体魄，而你的身体便再也不会成为修炼心灵时的一种负担。

当然，心灵的明白还是最重要的。一个朋友曾经问我，如果一个人必须修炼身体才能达到明白，那么当他的身体消失之后，他还明白吗？他问得很好。求索的、明白的，是灵魂、是心灵，而身体，只是心灵与灵魂的载体。可是，再好的驾驶者遇上了一部老爷车，也不可能将它开得比法拉利更快。心灵与身体的关系，就像驾驶者与车。身体的修炼，最终是为心灵的彻底觉悟服务的。

至于你要选择哪种方式来修炼你的身体与心灵，就要看你与哪种方法对机。佛家非常强调对机。对机是一种缘，而所谓的缘，有时也是一种信心、一种选择。心有所欲，便是机缘。你对哪个人最有信心，他就是你的上师；你对哪种方法最有信心，那种方法便最对你的机。在修炼当中，信心是最重要的。所谓“信为功德母”，你对一个人越有信心，就越相信他对你的所有指引，你会一心一意地沿着他为你指明的方向去实践，甚至不思考他为啥这么说、为啥这么做，也不关心自己在这实践当中能获得一些什么东西。因为你知道，对于一个想要重铸灵魂的人来说，实践就是目的，走路就是目的，你再不需要其他的什么目的。你也非常清楚，这条路是正确的，是经过一代又一代人验证过的，你相信只要全心全意地走这条路，就一定会实现你的誓愿。因此，你毫不怀疑，也没有一刻的迟疑。当你以这样一颗单纯的心，向着一种真善美的方向实践你的人生时，你的心灵自然会慢慢升华，你的人生当中，美好的事情也自然会越来越多。我在《西夏的苍狼》中专门谈到过这种现象：“这种现象，被国外学者称为‘吸引力定律’，意思是当你有了某种愿望时，就会吸引来跟愿望相应的那种东西，比如幸福的心态会吸引幸福，富足的心态会引来富足，等等。据说，这是所有大师成功的秘密。”

不过，单纯的想是没有任何意义的，因为大部分人都无法控制自己的心灵状态，你还必须有相应的行为——比如修炼的行为、利众的行为等。没有相应行为的时候，所有的见地都不能产生任何的价值。单纯的见，是得不到大智慧的。“见”只是方向，若要证道，得走向那光明。路迢迢，心茫茫，不执不舍，不散不昏，恒常如一，离执放下，便不为迷幻所困，便是“成就”了。这些行为所依托的，便是身体。

所以，你既要明白身体是归于空性的，是虚幻不实、终将破灭的肥皂泡，不执著于它，但仍然要珍惜它，不能把它当作一副臭皮囊，然后对其听之任之。我有个学生说，她像供佛一样供养着自己的身体。这是正确的。为什么呢？因为，她所有的行为都需要一副健康的体魄来支持。而彻底的觉悟，也需要达到一种心气自在。身不自在，气也无法自在。所以你必须修身，不但要修心，还要修身，修炼行为。

如何对待自己的身体，才是我们所反对的呢？过于执著便是我们所反对的。好多人不但珍惜自己的身体，而且害怕身体出现形容衰老、机能减退等各种情况。他们或买各种各样的保健品来保养身体，甚至超出身体的需要，变成另一种新的负担；或买各种各样的美容品，保护自己的青春美貌，甚至为此让自己的身体挨刀，承受巨大的痛苦。这种珍惜，已变成了他们的巨大烦恼。他们不明白，世间万物都难免成住坏空。身体的老去，肉体的消亡，是必然的规律，主观意识上的抗拒，无法改变这种永恒的规律。

破除对身体的执著，才能明白该如何正确地对待身体。而这种破执，必须建立在以恰当方式修炼身心的基础之上。一个人自主心灵的征途，也该从寻找这样一种方法、寻找一盏照亮心灵的明灯开始。

2.

让浮躁的心安定下来

有一个朋友曾经问我，如何才能让自己浮躁不安的心宁静下来？我告诉他，安禅无须佳山水，灭却心头火自凉。这句话的意思是，要想安心，你无须寻找一处如画的风光，更无须退隐山林，只要熄灭了心头的欲望之火，你热恼的心自然会获得清凉、安详。

他于是又问我，那么，如何熄灭心头的欲望之火？如何止息妄心，安住于真心？我告诉他，没见性时，以戒为师，拒绝欲望；见性之后，欲望便会如艳阳下的霜一样融化，你要做的仅仅是时时警觉、保任真心。

当然，现在也有好多人认为，对待欲望最好的方法，就是放下。但是，这就像一个人焦渴难耐，反而用海水解渴，结果如何呢？他只会越喝越渴。所以，古人早就说过："欲壑难填。"再者，欲望得到满足时那种短暂的安心感，并不是一种真正的放下，而仅仅是一种心理上的平衡。什么才是真正的放下呢？不再执著，就是放下。佛家所有的修行，都是为了明白，放下，破除执著。无执时，是大解脱。破我执，得阿罗汉果；破法执，便是菩萨了。

不过，简单熏修有许多方便法，但真正证悟须依善知识。就是说，想要真正安心，必须明心见性；想要明心见性，必须找到你的根本上师。有个学生问我，是不是认识到空性后，才能算是开始真正的修行。我回答她说，是的。修行的过程，就是一个让自己活得更明白的过程，如果你连明白啥都不知道，又怎么能走好修行这条路？所以，修行的第一步，就应该是找到一个你对其有信心的善知识。然后，净信他，每天依照他教给你的方法修行，便是最好的修行。

有的人不找善知识，他们通过念佛来摄心，这也行。但没有上师，没有进入传承的人，就像一个没通电的灯泡，它是无法自己发光的。所以，单纯念佛不可能即身解脱。但念佛也很好，因为念佛易生信，有信方有度。所谓度，便是救度。对佛法有信心，对佛有信心，你也可以因为对佛的信，而实现一种自我救度。因信得度与即身解脱的区别，是一种境界上的区别。前者可实现往生，后者在有生之年便可获得一种真正的大自在。对追求终极解脱的人来说，皈依上师前的念佛，更多的是在积累资粮，等待殊胜机缘的出现。

所谓殊胜机缘，就是与生命中善知识的相遇。你可能不知道，与这位善知识的相遇，是一个人生生世世中最重要的事情，因为只有他，才能为你开启智慧的窗棂，才能为你点燃心灯，才让你有了照亮自己、进而照亮别人的一种可能。所以，佛说，一个善知识是你梵行生活的全部。人身难得，善知识更难得。善财童子五十三参，就是在找能让自己明白的善知识。

人生当中，许多东西都在不断变化，金钱、名利、地位、房子、车子……没有什么能够永恒。真正与你常在的，只有你那颗等待觉醒的心，只有你内心的宝藏。善知识虽然无法赐给你那宝藏，但他会给你一幅寻宝地图，当你照着那地图去寻觅，一天又一天，永不放弃，或迟或早，你命中的宝石总会放出耀眼的光芒。

不同的是，对于寻宝者来说，发现宝藏便是终点，但对于修行人来说，发现宝藏，只是修道的开始。千万不要认为开悟便可一了百了。开悟，有大开悟，也有小开悟，其间区别便是程度的不同。有人开悟，如透过钥匙孔看外面的阳光；有人开悟，如站在窗前看外面的阳光；有人一开悟，便沐浴在明朗的阳光之下，与阳光融为一体，奶格玛便是其中之一。大部分人都不能证悟同时，都需要悟后起修。

开悟的那一刻，你会像盲人见到光明一样，见到这个世界的真相，拥有一种正见。这个瞬间，你就与为你印心的那位上师——你的根本上师——结成了“三昧耶誓约”。你只需好好地守护这三昧耶誓约，安住于你认知到的真心，便是最好的保任、最好的修炼。

悟后的修行，就是为了牢固悟境，不让外界的邪风恶雨淋熄你心中那点智慧的烛火，然后再加入功德之柴，让那智慧之火越烧越旺，直到它燎原开来。这时，你才能拥有一种非常稳定的快乐和宁静。因为，外界的一切都已不能污染你，不能动摇你的悟境了。这时，才谈得上“不取于相，如如不动”。不取于相，就是破除对所有名相的烦恼与执著；如如不动，就是像镜子一样，外界的景象怎样变化，都影响不了你心灵的宁静。

这不是一种作意的宁静，而是一种自然而然的生命状态。你的保任，也不是压抑自己的念头，以达到一种如死水般毫无生机的平静。这一点是好多人都会弄错的东西。所以，你是不是真的开悟，你见到的明空是不是真正的明空，必须由上师为你印证。若是真正的明空，保任它当然是最好的修。但要是你错把一种尚未验证的觉受当成明空，便可能会走上弯路。许多所谓的保任明空者，其实并没有契入明空，又何谈保任？

明心见性之后，保任真心，才是真正的安心。

3.

生命中真正的宝藏

什么是生命中真正的宝藏呢？真心。它像是蒙尘的夜明珠般，一直隐藏在每个人的心灵深处，偶尔露出它的真面目，却难被人认知。之所以说它是一个人生命中真正的宝藏，因为它集合了一个人解脱的所有可能。认知真心是解脱的先决条件。你只有认知真心，才谈得上接下来的保任真心，也才谈得上真正的解脱。

如何才能明心见性呢？明心见性是一种特殊的生命状态，是超越一切概念的。其中，明心是明白真心，见性是见到空性，其过程的难易与长短，全在于信心。有信心者易如反掌，无信心者难如登天。当你俱足信心，与上师相应的时候，便可明心见性。而佛家的八万四千法门，其目的便是为你建立一种坚不可摧的信心，帮助你与上师或诸佛相应。其中最好的法门，自然是上师相应法。

有人总问我，何为真心？何为空性？明心见性时是何状态？我只能告诉他，茶味只有咋舌之妙，语言文字难尽其意。为啥？因为，就算表达能力再强，你也无法用言语或文字让人明白，啥是茶的“香醇”，只有对方自己尝过了同一壶茶，才会明白这个词的意思。“真心”和“空性”也是一样，你只能自己品。一切描述所能够做到的，仅仅是让你接近那个概念。这便是知识与体验的不同之处。

知识也有它的价值，但它仅仅是生命中的营养之一，明心见性之后，你才能拥有一种对生命状态发生直接影响的智慧。这种智慧，是一种直观的东西，但它又跟一般人的直觉不太一样。其间的区别，便在于一般人的直觉带着偏见和思维模式的痕迹，是世间法，而明心见性是超越概念与思维的，它属于出世间法。

真正的明心见性，在每个人的一生当中，最多只会发生一次。因为，当你大彻大悟之后，只要不背弃三昧耶誓约，就不可能再变糊涂。这就像盲人看不见光明的时候，不知道太阳是啥样子，可一旦他重见光明，就不可能再忘记啥是太阳。不过，见到太阳，和让阳光充满自己的生命，仍然是两件不同的事情。这就跟明心与究竟成就之间的关系一样。

明心见性虽然常常被连在一起，但实际上，它也应被分成两部分来看待。其中，明心重于理，见性重于事。不能明心，便不可能见性。在香巴噶举的教法中，见性是气入中脉才可以达成的事。见性之后，才能真正破除执著。真正的破执，不仅仅是在理上，它更是事上的证量。真正的见性，不是在有了破除执著的证量之后，再去寻找另外的一个见性。它们就像是一体两面：无执，便是解脱，而不是无执之后，再去寻找一个别的解脱。

那么，什么是三昧耶誓约？所谓三昧耶誓约，是修习密法的底线，也是根本之戒，它的本质，便是你与根本上师之间的那份默契和坚守。它没有外相，只有内守，如鱼饮水，冷暖自知。有些看起来守戒的人，可能是欺世盗名者；有些看起来破戒者，如济公，则可能是大成就者。那界限，便是内心的明净、慈悲与坚守。其内涵之体现，便是心灵的纯净和行为的无私。成就，需要与上师相应，而相应的基础，便是三昧耶誓约。有了誓约，便会“身无彩凤双飞翼，心有灵犀一点通”。所以说，没有三昧耶誓约，所有的修炼都没有真正的意义。

那誓约，也是婴儿面对母亲时才有的一颗真心，它拒绝所有计较、算计，质朴、清净、干净、清凉。它是无我的另一种体现。人生的不朽有两种：一种是破执无我，一种是放大自我融入法界。誓约便是实现它们的一种方式。最具有保护效果的誓约方式，便是祈请上师。有的人觉得祈请带有非常浓厚的神秘色彩，其实不然，它是一种功能态，有益于维护你与上师之间那种灵魂间的认可与默契。它甚至会有着诸如思维波、生物场之类的物质基础，只要相应，二者定然有诸如思维传感之类的交流。通过祈请，时常忆持上师及其教法，也能让你在面对这个世界上的许多诱惑时，不会迷失自我。

持咒也是祈请的一种，比如念诵“奶格玛千诺”或者“喇嘛千诺”。一些成就者也会有属于自己的心咒。我们常在一些故事中看到，那些发心皈依佛家的神灵和非人，会在皈依时向上师献出自己的命咒。成就者莲华生大师和奶格玛也有自己的心咒。对成就上师有信心者，持诵成就上师的心咒，当然是最容易相应的。

祈请时，只要信心俱足，你便可得到一种外力的加持，但这还不算究竟成就。外因须跟内因共生大效力，最后无内无外，无来无去，不生不死，才算圆满。这时，你便证得了大手印智慧。大手印智慧，是众生与生俱来的智慧，不是哪个神或者哪个人赐给你的，你只要认知心性，便能契入大手印。

可惜的是，现在好多人都忙于工作、忙于娱乐、忙于享受，不愿意把时间用在关注心灵、升华人格上面，于是便不断轮回，受困于人性的魔咒当中，痛并“快乐”着。但这快乐，当然不是真正的快乐，它只是一种认假成真的乐，是一种易逝的感觉，不能永恒。假如一个人迷醉于这种快感，将人生的意义建立在享受这种快感的基础上，他就一定会因失落而感到痛苦，因痛苦而产生妒忌、愤怒、贪婪，无法解脱。所以我才说，心太忙者，便没有心了。

前者为妄心，后者为真心。这句话的意思是，当你被妄心牵着走，执著于花花绿绿的大千世界时，真心便被妄心的云霾所遮盖，本有智慧也无法显发。

当你用迷着的双眼去观察这个世界的时候，你会发现好多问题，你可能会觉得自己的前路是一片迷茫、一片空虚，你看不见世界的尽头，也看不到自己的未来。你甚至会觉得，自己只能无可奈何地往前走，任命运把你带到你该去的地方。这个时候，你不会知道，命运是可以改变的。如何改变？变心，就可变命。既定的命运，是死了的程序，而死了的程序，仅仅属于死了的心灵。当你重新燃起心灵的活力，成为自心的主宰，那么你就可以改变自己的命运。这个前提是，你必须拥有一种明空智慧，也就是开启你本有的智慧宝藏。当本有智慧显发的时候，你才会发现，这世界上其实没有任何问题，什么都是经历，什么都是记忆。诸法如梦如幻，皆归于空性。究竟观实相，水中望月亮。人生当中，哪有真正的问题？这个“没有任何问题”的发现，便是一个人最珍贵的宝藏。

4.

明空智慧

要让一个人明白心性，有许多种方法，佛家八万四千法门，归根究底，都是为了达到这个目的。但根本来说，你还是要找到真正的善知识，才能真正明心见性。假如没有真正的善知识为你印心，你就很可能会把顽空、无记当成真心。假如你把这种东西当成真心的话，反而会越修越无知，越修越跟动物没啥两样。我前边说过，按照佛家的说法，陷入顽空、无记的人，是很可能会堕入畜生道的。

你也不能把对“变化是不变的真理”这一客观规律的揣摩，当成见到空性，因为它仅仅是一种世俗的道理和知识。明空智慧不是这样的一种东西，你永远都不可能用任何文字或者语言，将它说清楚。你说出来的，永远都只是道理，你在保任真心中的“说”虽然也是明空智慧的妙用，但它们并不是明空智慧的本体。比如说，你可以用很多种方式去表达你对一个女子的爱，写情书也罢，送花也罢，为她画素描也罢，什么也罢，但你很难让她真切地感受到你对她的那种感觉，除非你们之间心心相印。唐代诗人李商隐在《无题》中说：“身无彩凤双飞翼，心有灵犀一点通。”当你们心心相印的时候，一个眼神就能让彼此知道自己心里的感受，这不是语言、文字可以达到的境界。

真正的明空智慧，是大手印中的“印”，是一种超越与解脱的智慧，它是一种无为法。正如《金刚经》中说：“一切贤圣皆以无为法而有差别。”佛家与外道的区别，便在于佛的“心印”，即明空无执。不过，这里所说的“空”，并不是“空无一物”的空，而是一种明明朗朗的空，它是本有的，非人力造作而成，它不是观想出来的空。明空的殊胜觉受，更不是你通过理解道理而主观臆想出来的东西。换句话说，你不可能通过意识来开启本有智慧的宝藏，你只能通过身体的证，与真正的善知识的开示心性来开启它。意识能做到的，仅仅是让你接近它。

修习光明大手印，目的就是让你的本有智慧显发，但大手印本身，却有着比证悟空性更高的胸怀与境界，它是人类文化中最优秀的部分，是救心之方、安心之法、铸心之术。光明大手印重顿悟顿证，属于大手印顿入法。若是具德上师得遇上根弟子，机缘成熟，上师便会加持弟子得见光明，故名“光明大手印”。贡噶上师在《恒河大手印直讲》中说：“最上之大手印，则并亦无须乎灌顶等修，但当恭敬礼拜，承事亲近于其上师，或仅观上师微妙身相，即能立得证悟。”他认为，这种证悟同时的大手印，才是真正的大手印。可见，光明大手印对上师和弟子的要求都非常高，信心仅是必需的资粮。有时，只有信心还远远不够。我在《无死的金刚心》中有个比喻：信心如数据线，上师如电脑，弟子如另一台联机的电脑。三者合格，才能传递数据，缺一不可。所以说，即使你满足了某一传承中的要求，并俱足了大信心，也必须遇到一个真正证悟了光明大手印的上师。如果你找的上师，并不曾认知心性，他就不可能为你开示心性，你便不可能在他的教导下明心见性。世上有许多上师，连身边的人也教调不好，他又如何度众呢？所以，我们要尽量先教育好身边的人。

那么，既然说“承事亲近于其上师”，那是不是意味着，找到真正的好上师之后，就要待在他的身边呢？不是这样的。耳传是必要的，但你不一定要待在他的身边。惹琼巴比冈波巴离密勒日巴更近，但后者的成就更大。上师如太阳，你躲到阴影下得不到温暖，离得太近又有可能会被晒伤，距离不远不近，但却虔信有加，这才最为合适。

有人希望我告诉他一条修行的捷径，我对他说：“我可以悄悄告诉你，可惜你听不到。”为啥我说他听不到？便是因为，真正的捷径是上师与弟子之间的相应，但这“相应”又非随随便便就可达成的东西，它需要弟子对善知识有一种灵魂的认可，更需要弟子对善知识有一种无伪的信心。无伪的信心，便是虔信。这不是距离的远近可以决定的东西，它是因虔信而产生的灵魂与灵魂之间的默契。这默契超越言语，故而我后来又说：“听不到的悄悄话，才是真正的悄悄话。欲说无言，欲听无声。无说无听，才见真经。”你不要听我说的话，你要用灵魂去感受，放下你的理性猜度，放下你的经验与逻辑，放下你所有的怀疑，甚至忘了那“听”的概念，只管静静地听，专注地听，听空气中的呼吸，听心跳的声音。这时的“听”，也叫品味、感受、体验。当你心中突然一动，或许你就“听”到了我以心传授的真经。当然，是不是真的听到了我以心传授的真经，这仍然需要印证，绝不可自以为是。再者，真正能为你开示心性的，该是你的根本上师，这需要缘分。

上师与弟子之间关系的确立，是需要经过一种特定形式的，比如说灌顶，灌顶就像是进入某个传承体系的门票。你看我的书，受用了，我便是你“教”上的善知识，但你想要明心见性，就必须皈依你“证”上的善知识，也就是能为你开示心性的根本上师。你必须皈依他，才能进入他所在的传承体系，净信他，才能得到他的加持，以及传承力量的加持，你蒙昧的心灵也才能被照亮。正如一个能正常工作的灯泡，还必须进入供电系统，通了电，才能发光。

5.
知识与智慧的区别

知识与智慧之间最大的区别是啥？其最大区别在于，前者仅仅是一种记忆，而后者可改变人的生活方式和生命状态。当然，如果你将一种知识牢牢地记住，并且在生命时空中不断重复它，让它渗入你的灵魂深处，那么它也能变成一种改变你生命状态的东西。可见，知识也是能够上升为智慧的。这知识，便是“教”；这转化的过程，便是“证”。当然，这也要看知识的具体内容。

比如，以前你知道抽烟不好，但抵抗不了香烟对你的诱惑，还是总忍不住要抽烟，那么抽烟不好这个信息，对你来说就是一种知识。不过，只要你不断用这信息来熏染自己的心灵，有一天，你就会从心灵深处接受它，你的身体也会做出相应的回答，那么你就能慢慢地成功戒烟。这时，你便消除了对香烟的执著。

任何理上的明白和事上的实证，都需要有行为上的体现。理上有大境界，事上有明空智慧，行为上要有利众的事实。只要具备了以上的几种特点，每个人，不管他是什么身份，都能够成为大手印文化的精英。反之，缺少其中一点，都不是大手印文化的精英。其基点，就在于你要修习大手印，至少要认可大手印文化的内涵。大手印文化的内涵是什么？是大手印智慧与大手印精神。

当一个人将自己全部身心投入大手印文化的发掘与弘扬当中的时候，他便不只是在传播一种对世界有益的文化，也是在实现着自己的价值。更重要的是，他将自己的整个生命沉浸在大手印智慧的信息当中，一天又一天地熏染着别人，也熏染着自己。这样一来，他就会像一颗善的种子一样，渐渐成长，渐渐博大，渐渐长成一棵能为人带来清凉的大树，在徐徐清风中，用心灵的声音，歌唱那大手印的天籁。而那些只空谈而没有实际行为的人，是没资格修大手印的。因为，没有行动，便没有智慧。智慧的体现，便是行为。所有所谓证得了智慧的人，要是没有利众行为支撑其人生，那他不过是自欺欺人罢了。

我举个例子，如果一个人整天宣讲大手印，但一回头就为了一点点小事情跟人打架，那么他的行为当中，就没有体现出大手印的精神。他的行为与他口头上所传递的信息，完全是两种东西，这就说明他并不认可自己所传播的理念，那么他的“讲”便是一种自欺欺人。这样的“讲”大手印，是毫无意义的，无法让别人获得清凉，更无法改变自己的心。你必须抱着所有的真诚，真正相信你所传播的东西，这种东西才能在潜移默化中改变你的心。而且，当你契入大手印，融入明空之后的“讲”，本身便是一种真正的保任。

真正的保任，是超越形式的。你不能仅仅在坐禅的时候保任明空，还要在生活中保任。然后，一分一秒，将保任的时间慢慢延长。当你每分每秒都能保任的时候，这辈子便都与它分不开了。这时候，你生活中的一切，包括行住坐卧，包括工作及与家人的相处等，都会是大手印智慧的体现。

不过，在此之前，你必须先做个好人。在生活中，你要以“善”为准则，修正自己的行为，让自己的心慢慢变大，像对待家人和朋友一样，对待你认识及遇到的每一个人。当你能够做到这一点的时候，你就可以学习大手印。假如你做不到这一点，不想做个好人，那么大手印对你便不可能发挥真正的作用。

而且，你还必须有大愿。没有大愿，便没有大行。比如，假如你仅仅想在家里做个好人，那么你就不会走出门去，用大手印的光明照亮更多的人。所以说，有什么样的愿望，你就会有什么样的行为。我有个学生，她最喜欢的生活方式，本是静静地待在角落里，读她喜欢的书。但是在接触大手印、以实际行为修习大手印之后，她被这种博大的智慧所感动、所改变了，她发下了利益众生的大愿，所以，她走出了自己宁静的小屋，以各种方式与外界接触，为的仅仅是用大手印的光芒点亮更多的心灵。她心灵的改变，必然导致她命运的改变。当你用大手印智慧指导生活和行为的时候，你便不只是大手印文化的传播者，更是大手印行者。

大手印行者无疑是快乐的，为什么？因为他们明白，大家都很沉重，但无论轻松还是沉重，痛苦或是开心，都改变不了世界的本质。那么他们就会选择活得简单、朴素、干净一些。这便是大手印智慧的一种方便。它不是一种无可奈何的接受，而是一种智慧的抉择。这种智慧的抉择，在于破执。破除对好多东西的执著，包括对肉体、对生命的执著。破除所有执著，便可解脱。拥有这种解脱智慧的人，当然是快乐的。

这种智慧，跟人们常说的智商、情商关系不大。它是一种消除分别心后的空性光明，是一种不二智慧。如果一定要说大手印是最高的智商和情商，那也是出世间的范畴，跟世间法的情商智商关系不大。不过，如果一个人把情商和智商都投入修炼中去，就自然与大手印有了联系，这是对的。但比起智商与情商，修习大手印更重要的是信心。我们所说的上根利器之人，就是大信心者。现在有好多利器者，利着利着就钝了，不是他们的智商不够，或者情商不够，而是因为他们的信心发生了动摇。关于这一点，任何法门都一样。

6.
超越的智慧

许多人都期望着一个美好的世界，也想创造一个美好的世界，那个美好的世界当中，没有纷争，没有丑恶，没有欺骗，只有善美，只有快乐，只有真诚，所以才会有无数人憧憬与向往着“天堂”“净土”和“极乐世界”。但大手印智慧不是这样，它不向往去任何一个地方。在某次现场访谈中，我曾随机做了首偈子，来描述它的境界：

“无秽无净无境界，无修无整无散乱。无你无我无轮回，便是光明大手印。”这首偈子的意思是，大手印是破除一切名相，破除一切执著，无任何二元对立的一种智慧，它甚至连“光明”与“境界”也不执著。

但这不是单纯作意可以达到的境界。就像我常说的，凡夫的无念无相无著是顽空，惠能的无念无相无著则是证果，我那偈子如果由凡夫说起，也会变成顽空的东西，是一种虚无主义的观点。实际上，何为“有”，又何为“无”呢？以殊胜之眼看来，有就是无，无就是有，二者并无不同。有是缘起，无是性空。缘起性空，就是世界的真相。但那偈子，更多的，讲的是一种超越名相的东西。

有人问我，修习大手印要注意什么？我告诉他，放下一切“要注意”的东西。有人又问我，如何避免陷入名相，如何用好思辨之心？我告诉他，远离思辨，才能远离名相。我为啥这么说？因为，所有“要注意”的东西，都是思辨之心创造出来的一些规矩和概念，而大手印是去机心、事本觉、任自然、明大道的，假如你加入了许多的概念与逻辑，达到的便肯定不是真正的大手印境界。大手印是超越了一切概念与逻辑的，它不会给纯净的心灵加上另一种规矩与镣铐。由逻辑与概念堆砌出来的大手印，也不可能是真正的大手印。正因为如此，它才能真正地超越一切名相。

举个例子，假如我告诉你，呼吸的时候要注意吸气后半分钟再呼出，那么你就不得不调整呼吸的节奏，这种人为的节奏就变成了一个控制你的规矩，你又怎么能自由？而大手印是一种完完全全的自由——因心灵无束缚，故自由。当然，在没有契入大手印的时候，你需要借助方便法门来达到一种契入。这是对的，因为你首先要用一种束缚，去收回你散乱不堪的心，去取代其他所有的束缚，然后才谈得上把这最后的束缚也破除。你要明白，明心见性，契入大手印之后，就要把这些方法都放下，把大手印的概念也放下，安住于真心，事本觉，任自然。所以佛说："法尚应舍，何况非法。"

但大手印不仅是一种境界，也是一种世界观，更是一种方法论，这意味着，它不仅是一种内证，更应该体现为行为，没有行为，就没有大手印。这行为，便是善的行为。注重人生关怀和人间关怀，强调出世与入世并重、心性与行为双修，这才是大手印的本意。

其中，人生关怀，重超越；人间关怀，重贡献。啥贡献？对社会的贡献，对世界的贡献。在自己完善人格、实现超越的同时，也随缘而尽力地为世界做出自己力所能及的贡献，这就是注重人生关怀与人间关怀。所谓出世，就是超越世俗的束缚，所谓入世，就是行为上仍做那世俗之事。以出世之心，做入世之事，便是出世与入世并重。啥是“以出世之心，做入世之事”？事在人为之后，顺其自然，做事过程中竭尽全力，但不计较结果得失，这便是以出世的心态做入世的事情。心性与行为双修，则是在认知心性，保任真心当中，随缘做事，将心性体现于大善的行为中。实现了这几点，你就创造了一种人生的大格局。

大手印改变了我许多。年轻的时候，我想当作家，想为家乡的父老做点什么，这个念想一直燃烧着我的心。刚开始，我非常孤独地写作，痛苦不堪，也看不见前路。直到我契入大手印，便没有了孤独，只有宁静。我终于学会了观察自己的心。

有人问我，雪漠老师，你现在的心态如何？我告诉他，心镜照万相，了然无牵挂。啥意思呢？就是说，我的心像镜子一样，清清楚楚地映照出这个世界上一切的景象，但是，悲欢离合也罢，嬉笑怒骂也罢，它们都无法牵扯我的心，不能让我对其产生一点点的牵挂。我不渴望净土，也不渴望往生，因为我明明知道，那所谓的极乐世界，也不过是自心造出的幻象，万法唯心造。梦与现实，现实与幻象，并无究竟意义上的区别，皆归于空性。无自性者，便如梦幻也。一切都如梦如幻，一切都如流水般哗哗飞逝，啥也留不住，一切都不会永恒。明知它不会永恒，我便不再强求，仅仅是放下，随缘，心中再也没有了苦与乐。我知道，那对立的概念皆为无常，也是心的造作。于是，我对自己，再也没了任何期待。

我曾用一首偈子来描述这一点：“性相本一体，性空相有影。云影随风去，湛然成晴空。”当你真正明白这一点的时候，也就得到了一种真正的自由——没有任何条件的自由。

什么叫没有任何条件的自由？就是说，这种自由不需要建立在任何事物的基础之上，它无所凭借，也就不会被束缚。它不依赖金钱、名利，金钱、名利就无法束缚它；它不依赖物质、地位，物质、地位就无法束缚它。一切规矩和秩序之所以能够束缚你，不是因为它们实有，而是因为你在乎它们。真心有序却非序，此序本由自家知。若是无我亦无你，一片光明照寰宇。当一个人拥有这样一种自由的时候，整个世界、整个人生，都是他调心的道具、修行的道场，都是一场梦幻、一场游戏。只是，在这场游戏中，他对苦难众生有着一种大悲悯，但这悲悯，也无法给他带来任何热恼。此心如朗月，遍照天下人。

7.

看破之后

有人问我，你是怎么看待死亡的？我回答说，死亡是最好的善知识。确实是这样的。在《大漠祭》的“跋”

中你会看到，我的弟弟死了。他二十七岁就死了。我亲眼看着他从一个健壮的青年，一步步变得骨瘦如柴，最终进入坟墓。我亲手埋葬了他。经历那次死亡之后，世俗的东西已经没有办法再诱惑我了。死亡是最好的老师，在它的面前，你会看得很开，没有什么是放不下的，包括生死本身。那人又问我，那雪漠老师惧怕死亡吗？我回答他，怕，也不怕。怕没用，只好不怕了。怕是正视，不怕是放下；因为怕，才会珍惜人生；因为不怕，才会直面人生。人生中的好多事情都是如此，你如果看不破，就放不下——无论是生死，还是其他东西。

现代人，往往喜悦放松少，痛苦焦虑多。这是为什么呢？从出世间法的角度来说，就是因为看不破世间假象，放不下贪恋与执著。从世间法的角度来说，则是因为大多数人，都不懂得知足。每个人都有所求，这个“求”是超越客观条件的一种贪心。只要我们懂得知足，就会感到快乐。比如，想到那些已经死去的人，每一个活着的人都应该感到幸福；想到那些正在经受疾病折磨的人，每一个健康的人都应该感到幸福。这种幸福，是一种世间法的幸福，它并不是从比较中来，而是从知足中来。如果你能学会知足，人生便可轻松很多。因为，即便得不到我们想拥有的东西，或者失去了我们本来拥有的一切，毕竟我们还活着，毕竟人生还有许许多多的可能性。而且，你对事物

的渴求，也不过是一场幻觉，是许多可能性中的一种。生命如水泡，不定何时灭。这世上，皆因缘聚合，缘变则境变，哪有必然？一切，都不是必然的；一切，都有多种可能。你明白了这一点的时候，也就接近了空性。空性非虚无，而是无数种可能性。真正明白这一点的时候，你自然会看破好多东西，不再强求那不会永恒的一切。

从这一点上来说，人应该感谢苦难，因为，唯有苦难，才能让一个人体会到无常，才会拥有一种看破的智慧。而拥有的快感，往往让人感受不到这一切。在拥有的时候，你只会沉浸在一种漫天遍地的幸福感当中，你不会感受到它的虚幻，你会期待这感觉能永恒，你不会想要改变，你也不会接受改变。一旦你不得不面对改变的时候，你才会发现什么是无常。你才会被迫接受无常。可一旦你接受了无常，那份淡然又将让你领略到一种比“拥有”更可贵的东西——一种真正的幸福。从这个意义上来说，人生中真正的悲剧，该是一个人即便面对迎面而来的无常，也无法因此而看破生命中的好多东西，放下对好多东西的期待。这当然也是可以理解的，但可以理解，并不等于他们就不用承受无知带来的痛苦。这自是人的可悲之处。智者与凡夫不同的地方，便在于他们面对苦难的态度。

我说过，当一个人无法选择命运的时候，他至少可以选择面对命运的态度。这时，便是尊重生命的真正体现，也是验证一个人是否真正明白的契机。所以，苦难是值得珍惜的。对智者来说，苦难就是福缘，它意味着进一步的超越。一定要记住，世上一切，都源于心的感受。不同的心，感受出不同的世界。而你能够也应该去做的，便是放下自己，融入大千。只有放下自己，你才能看到一个充满鸟语花香、充满了美的世界。这时候，你眼中的万物，才会发出自己的声音，当你认真聆听的时候，就会感到快乐。这时的快乐才是真正无漏的，因为你放下自己之后，便会无求。无求，就没有偏见、没有执著、没有让你痛苦的原因。这时，你就会沐浴在真正的大光明当中，最后，甚至会化为那真正的大光明。

在真正的大光明中，其实是没有阴影的。当我们感觉自己待在阴影中的时候，说明我们背离了光明。让自己远离黑暗最好的方式，就是让自己化为光明。那时候，烦恼的黑暗就消失了。本无烦恼，又何须对治？为啥无烦恼？因为没有烦恼之因，一切都非常圆满。

当然，此前，你必须有一种对信仰的执著和正见。因为，你必须先在心田里种上智慧的、大爱的庄稼，欲望与执著的杂草才会无处可生。是故我曾说："此执非彼执，一执降万执。待到无执时，此执也无执。"然后，你便在生活当中慢慢悟，慢慢观察自己的心灵状态，等待觉悟敲醒你的灵魂。要记住，不要用世俗之心去寻找问题，要用赤子之心去接近真理。真金本在沙中，淘去沙才得到真金。那迷，同样也在本性之中，只要你一点点消除迷惑与无知，便能擦亮智慧的眼睛。

8.
不认假为真

有人在观空这个问题上，有着许许多多的疑问，比如，当一个人拿着一件很沉重的物品时，它实实在在就是重的感觉，那么，如果我们把这件物品观空，是否在骗自己呢？其实，“空”是一种智慧，它是本有的，不是观出来的。所谓的观空，仅仅是通过一种手段，实现证空的目的。而观修的“空”，并不是本有的“空”。

当我们面对世间万物的时候，都应该如此。你要明白，世界是存在的，但它不是永恒的存在，它时时变化，没有自性，所以虚无。这虚无，指的是“没有永恒”，而不是否认一种缘起的“有”。佛家说“缘起性空”的意思是：缘起故假有，性空则真无。以是故，《心经》中说道：“无眼界，乃至无意识界，无无明，亦无无明尽，乃至无老死，亦无老死尽。无苦集灭道，无智亦无得，以无所得故。”

但是，你知道了缘起性空的道理，并不等于就可以在事上得到清凉。单纯的药方是治不了病的。如何治病？你必须按时按量地服药。服药，为的是一点一滴地破除你的执著。这服药，便是如法如量、脚踏实地地修行。为啥惠能说“下下人有上上智”？正是因为“下下人”不认为自己是“上上智”，遂能吃苦，脚踏实地，反能证道。而那些认为自己是“上上智”的人，则容易流于狂慧。许多认为自己是上上智的人，眼中是没有善知识的。他的傲慢之心，会掩盖他的智慧之眼，令他得到一点点东西，就自以为拥有了宇宙的全部。

当一些人并未破执，才得到药方便已目空一切，认为既然世上一切皆无自性，便可无所畏惧的时候，他就会执空，成狂慧。惧因果可救，狂慧者不可救也。其原因就在于执空者易流于虚无主义。君不见，好多执空之人，或及时行乐浪费宝贵生命，或祸害社会造出无穷恶业。所以圣者说：宁可执有如须弥山，不要执空如芥子小。只有当你按方服药，药到病除，破除所有执著与分别之后，才能真正地证空。此前，你必须有所敬畏。有所敬畏的原因，是为了之后的终极破执。

只要你脚踏实地，认真修行，在生活中对治心、对治行为，令你执著之物就会越来越少，你的执著就会慢慢被破除。这个时候，道理就成了真正能指导你日常行为的智慧，而不仅仅是一种知识。你也便能体会到一种来自灵魂深处的清凉。为啥我们老说“清凉”，到底啥是清凉？

离苦得乐，浇熄使你热恼的欲望、嗔恨和嫉妒之火后，你便会体验到啥是清凉。所谓清凉，便是与热恼相对的一种觉受。清凉来自何处？它或许源于一种事理融通时的智慧抉择，但或许更脱离了抉择，因为，当你的直观智慧显现时，心中早已没有了抉择。抉择者，尚有分别也。而直观智慧，是远离一切二元对立、远离一切分别的。

我举个例子，一股臭气扑面而来的时候，你一定会飞快地屏住呼吸，其中根本不会存在任何思索的过程，它完全是一种身体的直观反应。直观智慧跟这种直观反应非常像，不同的是，凡夫的直感仍带有个人喜恶的痕迹，而智者的直感则脱离了这些分别的概念，更能直击事物的真相。比如说，当一个人没有智慧的时候，一旦碰到要不要买房这类问题，心里就会感到非常痛苦，因为他很想拥有一间自己买不起的房子；当一个人有了一点点智慧的时候，他或许能脱离欲望的控制，并且事后不再执著于此，但他需要一个说服自己的过程，这个过程就是抉择的过程；只有当本有智慧显发时，他才会忽略抉择的过程，直奔抉择的结果，因为在他明白自己怎么做最好的时候，实际上心中已没有了其他的选项。

可见，本有智慧的显发，会让一个人变得更有效率，他不会被自己惯有的逻辑与偏见所影响，因而更能摆脱事物的表象，洞察其本质以及事物之间的各种联系。要达到这个境界，你必须经过必要的禅修，没有禅修，便没有真正的证悟。这就像不坐车或不走路肯定到不了目的地一样。因为，修定才能开悟，所谓“定能生慧”，而究竟的智慧才是消除烦恼、离苦得乐的原因。

真正的离苦得乐，并不是让你离开痛苦的原因，享有一种逃离的快乐，而是破除执著，改变你对它的态度。比如，你曾经觉得至亲的离世是一种巨大的痛苦，但是当你体悟无常，放下对生死的执著之后，你就会超越这种痛苦，享有一种宁静之乐。这时，苦难就变成了你超越的助缘，因此孟子才说：“天将降大任于是人也，必先苦其心志，劳其筋骨，饿其体肤，空乏其身，行拂乱其所为，所以动心忍性，增益其所不能。”当你做到这一点的时候，就实现了“不离而离”。不离而离，便能化烦恼为菩提。

其实，许多苦，只是人的欲望没有得到满足时的失落，而欲望的产生皆源自人的无知。何为人的无知？认假成真，执幻为实，将本质上虚幻不实、变化多端的一切，当作永恒存在的真实之物，而妄图永远拥有，生起诸多执著，甚至忘记了，连自己的肉体都不能永恒，又怎么能永远拥有那些同样无常的事物？而智者之所以能成为智者，便是洞察世界的真相，远离烦恼之因——无知，进而远离无知之果——“贪嗔痴慢妒”等诸多烦恼与执著。

9.

真正的孤独是无我

这个时代，好多人都在喊孤独：没有人理解自己，所以感到孤独；没有人陪伴，所以感到孤独；不能得到别人的认可，所以感到孤独；找不到与自己志同道合的人，所以感到孤独……但他们可能不知道，自己所承受的痛苦，其实并不叫孤独，而仅仅是一种欲望得不到满足时的失落，或者叫作孤单、寂寞。它并没有上升到孤独的层面。

那么，真正的孤独是什么呢？真正的孤独，是一种智慧的境界，是吕洞宾所说的“独上高峰望八都，黑云散尽月还孤。茫茫宇宙人无数，几个男儿是丈夫”，是“大风吹白月，清光满虚空”，是“众人皆醉我独醒，举世皆浊我独清”。它是一种达成无我智慧后的觉悟。当智者想将自己的觉悟塞到迷者的心中，使其超脱轮回之苦却不能的时候，这种孤独就会产生。有大智慧便有大孤独，这大孤独，便是大悲悯。

我举个例子，如果一个父亲明知孩子继续前行就要掉下悬崖，却无法让孩子改变决定，他的内心就会产生一种孤独感，这种孤独感是一种巨大的无奈，它因爱而存在，并不是私欲的产物。智者就像这个父亲，不同的是，在智者的眼中，所有众生都是他的孩子，不管跟他有没有血缘或者亲缘关系。有大爱，所以有大无奈。

大孤独是大悲悯，但也有大平等。这种大平等，便是无分别之后的大包容。既包容那悲悯的对象，却又不对其生起丝毫的嗔恨、轻慢之心，这便是大平等。正是因为有了大平等，才会有一种大无奈，因为它绝不会试图用自己的观点去操控对方，更不会用实际行为去逼迫对方接纳自己的观点，所以才会无可奈何。比如，耶稣受难时，仍然悲悯伤害自己的人们，他说："原谅他们吧，他们不知道自己在干什么。"那时的他，便是孤独的。只是这大孤独之中虽有大无奈，但无热恼。

为啥无热恼？因为热恼是欲望的产物。当你觉得众生孤独了你，或者某人孤独了你的时候，你便有了热恼，因为你有了分别心。有了分别心的时候，执著就会产生，欲望也会随之产生。有欲望，就有贪婪、嗔恨、愚痴、傲慢、嫉妒等各种烦恼，世界便多了许多纷争与纠斗，人也随之在轮回中升沉。一切烦恼，都源于分别心。见地高超时，便是大解脱。是故大手印强调"见即解脱"。

消除分别心，最究竟的妙法便是证悟空性，不证悟空性，就无法彻底地消除分别心。当本有智慧光明显发的时候，人的分别心也会消除，但是你必须能够在日常生活当中保任，在日常生活中修炼行为，在行住坐卧间安住于真心，保持觉性。

光明大手印跟其他大手印不一样的地方在于，契入光明大手印，主要是看你是不是能与上师相应。跟上师相应之后，便能契入大手印，使佛之明空智慧自然显发。千万不要把明空仅仅当成一种修行时的觉受，不修行就将它放在一边。它会带给你一种殊胜觉受，但这觉受本身并不是我们所追求的东西，也要放下它。觉受是依托于身体而存在的，但总有一天，我们都会没了身体，那时，你不放下，也得放下。若将觉受当成智慧，那么，你没身体时，智慧到哪里去了？真正能使我们放下一切分别，达到无我境界的，非觉受，而是一种究竟智慧。除了智慧，一切我们都要放下。有一天，我们连这智慧也要放下。那时，你便没有打坐，也没有不打坐；没有禅定，也没有不禅定；没有智慧，也没有愚痴。这样你才真正证悟空性，进入一种全新的生命状态，获得了一种大自在。

假如你不能做到真正的无我，所谓的孤独，便仅仅是一种失落的情绪，而不是真正的孤独。它本短暂易逝，你却不明其本质。不明其本质的时候，让它席卷你的心灵，干扰你的宁静，让你在烦恼当中不能自主，它就会让你堕落。有学生说他很孤独，我就告诉他，做事的时候，你是不会感到孤独的，感到孤独的时候，你必定没有在好好做事。这里的孤独，当然不是无我的大孤独，而仅仅是一点点小小的情绪。为啥会产生这些情绪？因为你的心中有了一个实实在在的“我”，这个“我”恒常不变，它需要把握自己想要拥有的那些东西，其中包括他人的理解、他人的认可等。这个时候，你的心里是放不下“正事”的。啥是正事？跟你活着的意义有关的事，真正能让你的生命升华的事，便是正事，其他一切，都是闲事。连有没有足够的生命时间，让你实现生命彻底的升华，让你做完你该做的事都说不准，还有什么时间让你为那不存在的“我”而感到忧愁？

确实，虽然我们总是觉得自己的肉体当中，肯定附着了一个固定不变的、实实在在的“我”，但其实并不是如此。从出生到现在，你的个性、想法、外表等方方面面，难道是一成不变的吗？至少你的见闻肯定发生了改变，所以并不存在一个恒常不变的“我”。所谓的“我”，只不过是每一个当下因缘聚合的产物而已，是一个美丽而忧伤的幻象。“我”，不过是一条大河中的一滴水，跟其他的水滴没有本质上的区别，也没有什么真正的“我”和“他”，没有真正的“我”与“世界”。世上的一切，本是一条川流不息的河，此消彼长，生生灭灭。只有那空性本身，才是永恒。而真正的孤独，唯有在你真正明白这一点之后，才会产生。

10.

明白后的大糊涂

古人说："难得糊涂。"有道理。但这糊涂是啥糊涂，是不明白的糊涂，还是明白的糊涂？它就像"平常心是道"一样，寥寥几个字，其中深意，却少有人知。

一次网络访谈中，有一个网友如是说："过于敏感和过于迟钝的人殊途同归，敏感的人把人生看得太透，觉得没意思；迟钝的人看不懂人生，同样觉得没意思。要想过得幸福，需要介于敏感与迟钝之间。"我告诉他，认为自己"太过明白"的人，实质上是一种不明白，所谓"过犹不及"。什么才是真正的明白呢？明白这世上一切都是虚幻不实的，但仍然去做那该做的事情，这就是明白。但这也是一种大痴。啥是大痴？明知这世界是无常的，连太阳星辰、地球本身都是无常的，却偏偏要在虚幻中实现不朽，在虚无中建立存在，在无常中创造相对的永恒，明知不可为而为之，是为大痴。这也是我追求的境界。这是大糊涂。有时候的"糊涂"，正是明白。明白啥？明白人必须有自己活着的意义。要不，所谓的活，就会像虚空中的苍蝇、阳光下的露珠一样，留不下一点痕迹，也毫无存在的价值；明白世界上的一切有生有灭，所谓的得失也是梦幻泡影；明白虚无主义是一种巨大的堕落，是人生当中最可悲也最可怕的一种浪费，是对不可逆转的时间的浪费。

好多人不明白这一点，他们仅仅明白：啥活法，都会被时光吞噬；拥有啥，最终都会失去。他们知道无常，却因此而生出一种悲观消极的情绪。但这是无常的错吗？不是的。错的是他们看待无常的心态。万事万物皆无自性，万法唯心所造。你有什么样的心，就会看到什么样的世界。为什么无常会让你痛苦，因为你还不够明白，你放不下欲望贪著，不能从心底里接受这真相，即便你道理上明白，却又不肯断了那无谓的希望，仍然想永恒拥有那注定无常的一切。这时候，自我和世界之间，就有了所谓的对立与冲突。可这对立与冲突也是虚幻，只要你能放下贪婪，它们就会不调而调。世间本无烦恼，烦恼是蒙昧心灵的产物。你可知道，圣者的其中一个特征，便是悲深绝望。但圣者的绝望，跟凡夫的绝望不同。前者是绝了欲望，是一种大智慧，是不计较未来，活在当下，是一种大宁静、大快乐；而后者则是贪婪得不到满足时的失落，是看不破世间幻象所产生的烦恼。

我们之所以说“难得糊涂”，并不是说一个人应该啥都不想地活着。当然，惠能也无念无相无住，但那是一种看破后的淡然，是一种无求后的坦然；而凡夫的无念无相无住，则是一种动物冬眠般的无知。你看那许多动物，尤其是人们饲养在家的宠物，它们啥也不想，吃了便睡，睡了又吃，生命便在这毫无意义的轮回中虚度，活了一辈子，也没活出啥价值。当然，它们能让豢养自己的人获得一种快乐，但这快乐是稍纵即逝的，一旦它们的肉体在这个世界上消失，也就什么都留不下来了，除非它们的身上承载了一种精神。比如《西夏咒》中的黄犍牛，它本是一头普通的耕牛，因为有了救人之心，才区别于其他的耕牛，成了一种图腾般的存在，被人画入唐卡供奉。它用短暂的死，换来了相对永恒的生；它用短暂的失，得到了其他耕牛所不能实现的尊严。人也是一样。人的价值，就在于他的行为，而他的行为又取决于他的心。所以说，一个人是否有一颗博大的心，他的心是否明白，决定了他将拥有一个怎样的人生，也决定了他死后能留下一些什么样的东西。

人生难得糊涂，但那真正难得的，是思考后的顿悟，是执著后的坦然，而非无知。一个网友问我，人为何非要探究明白呢？人生短短几十年，眨眼就过去了，明白也这样活，不明白也这样活，啥都不想，快乐地活着有啥不好呢？这也是一种观点。我尊重这样的观点，但我不愿意这样活。正是因为有了这样的选择，我才能抵御环境对自己的种种同化，我的灵魂才不致被庸碌所消解，我才不至于像个混世虫那样毫无意义地活着。

但我仍然是“糊涂”的，只是我的糊涂，跟混世虫的糊涂不太一样。我曾经写过一首偈子来表白我自己：“雪漠是个驴，低头走夜路。偶尔扬扬脖，看见天边月。问慧也无慧，求智也无智。只是心有光，从此不戚戚。”可见，我的糊涂，在于我不去追逐欲望、胡思乱想，只活在当下的明白里。

《金刚经》中说：“过去心不可得，现在心不可得，未来心不可得。”其意思便是，既然你无法改变过去，无法预测将来，无法留住当下，那么，一切的念想、执著，就都是对当下那份宁静、坦然、快乐的伤害。看破了这一切，何妨放下，去除机心，自然而然地活着？去机心，事本觉，任自然，明大道，便是难得的糊涂，大糊涂。

之所以难得，是因为现代人总是太聪明，“去机心”太难，“任自然”更难。其难，就难在放不下执著，放不下虚幻的“我”。放不下，你就只能扛着了。好多时候我们说一个人无知，并不是说他不够聪明，知道的东西不够多，而是说他看不破应该看破的，总在无关紧要的地方煞费心机。殊不知，快乐是一个人心里的东西，幸福也是一个人心里的东西。当一个人在外面求快乐、求富足的时候，他实际上是贫穷的，是一无所有的。只有当他放下心外之物，连对心物的区别都放下时，真正的快乐才会降临。

如是故，我才说：“大丈夫立于世，不能依靠任何东西，不能依靠任何人，也不能依靠任何外物、外力，应无所凭借。”这句话，我并非说给谁人听，而仅仅是在对自己说话。但只要听懂了的，便是我，听了能做者也是我，所有能听能懂能做的人，都是我。

11.
无条件的快乐

事实上，直到今天，好多人还是不明白，真正的佛家和所有信仰、所有科学、所有文化一样，它的存在意义在于它能给人类和其他众生带来快乐。不一样的是，佛家追求的是无条件的快乐，它不是一种需要外物保障的快乐。这一点，跟好多人的看法不太一样。

什么叫无条件的快乐呢？就是不管世界怎么样，不管生活中有没有值得快乐的原因，你都是快乐的，而且，这个世界无论如何都无法让你不快乐。因为你的快乐源于心的明白和强大。可见，这种无条件的快乐，是一种完完全全的自主。实现这种自主的人，必将成为心灵的王者。何为“王”？王，就是主动的，非被动的；积极的，非消极的；勇敢的，非懦弱的。所以说，佛家所追求的这种快乐，跟好多人以为的不太一样，它不是一种消极的东西，不是一种无奈之后的精神胜利法。它是一种即便无所凭借，也不会堕落痛苦的高贵与尊严。

是故我常说，信仰佛家不是为了改变世界，而是为了让世界改变不了你心中的快乐。无论发生了什么事，所谓的好事或者坏事，你都知道一切皆会过去，只有心中的那种觉醒、光明、快乐、清凉不会因为快乐所依附的条件之消失而消失，只有它不会是无常的。一切有条件的东西都是无常的，都是虚幻的，因为它们需要凭借某些因素的共同作用，才能存在。因此它们都是虚幻不实的。故而《金刚经》中才说："一切有为法，如梦幻泡影。"佛家追求的是无为法，所谓无为法就意味着要放下一切条件。真正的快乐、大快乐不会因为各种因缘的存在而存在，也不会因为各种条件的消失而消失，它不是因缘和合的产物。

信仰佛家的人们，必须明白这一点，明白了这一点，才会明白佛家到底是个什么样的东西，它到底在提倡什么、反对什么，什么是佛家乃至宇宙的真理，佛家真正的精神又是什么。只有明白这些东西，你传递出来的信息才是正确的。如果一些人——尤其是那些拥有巨大影响力的明星们——不明白这些东西，反而把佛家反对的一些很奇怪的东西作为佛家的真理来炫耀，对佛家就是一种亵渎。所以说，我认为任何人在信佛之前，首先就应该弄明白佛家真正的精神是什么，佛家的修炼为了达到什么目的、如何才能实现这个目的。在佛家当中，这些内容都是非常清晰的，它们经得起反复推敲和实证，也不怕任何人的质疑与论证。它非常严谨，本身就是一套集世界观与方法论于一身的生命科学，其严密程度就像数学一样。

佛家的方法论体现在，它不仅有佛家哲学，阐明了一种宇宙的真理，而且为世人提供了一系列非常具有实证性的、有次第的、非常清晰的方法，以及每个阶段的客观判定标准。这一系列的标准，不是抽象的、主观臆想的东西，它就像英语的级别考试一样有具体的衡量指标。任何一个人朝着这条路一直走下去，都可以得到无条件的快乐，我们称之为“解脱”。这种快乐还有另外一个名字，叫作“绝对自由”，我们称之为“涅槃之乐”。

我始终觉得，正信的佛教应该是这样的。可惜，直到今天，很多人宣传的东西仍然只是一些表面现象，没有进入佛家修炼的内部，更没有进入佛家智慧的核心，那么他们宣传的东西就跟佛家智慧和佛家精神没有太大的关系，有些甚至是连佛家自己都在反对的东西，类似于光明下的阴影。这就像你在桌上放了一个杯子，但很多人没有看到那个杯子，反而看到了杯子后面的那个阴影一样，还认为那阴影就是杯子本身。事实不是这样的。

真正的佛教，应该是一种光明，而杯子后面的阴影，则是一种因误解而形成的偏见，这是佛教自己也想解决和消除的。如何解决、如何消除呢？要靠每个佛教信仰者改变自己的心灵，然后在行为当中，向这个世界传递一种正确的信息。当包括明星在内的所有佛教信仰者，都以正确的言行去传播一种真理的时候，佛家智慧的光明就会包围这个杯子，那么杯子后面的阴影也就消失了。

下篇

生活是调心道具

一、在与世界的相处中调心

1.
善文化是智慧的活水

人们在接触大手印的时候，总是会有这样的一些疑惑：大手印非常好，它是一种出世之法，但它是否太过美好，太过崇高，以至于有些脱离实际？我们如何才能将这种文化运用到入世生活当中，它对入世生活又有什么样的帮助？怎么做，它才不会被束之高阁，仅供人们用于闲暇时的观赏呢？

这些问题问得非常好，因为它直击现代人对大手印文化——乃至文化本身的一个最大误区。什么误区呢？就是人们往往认为文化跟生活是分离的，或认为文化是学者的事情，跟自己没有太大的关系，尤其是跟信仰沾边的文化，认为那只是业余时间排解内心郁结的东西，跟工作与生活本身意义不大。这是为什么呢？因为人们心目中的文化，是一种制度，一种教条，一种缺乏生命活力的东西。但事实上不是这样的。

在我看来，文化恰恰是一种最具生命活力的东西，它不一定非要有固定的形式，而是一种精神的东西，因为它是人类思想或者行为的载体之一。我举个例子，凉州贤孝和凉州人特有的思维模式、价值取向、生活习惯等，共同组成了凉州文化，当一个学者，或者一个具有一定观察力的人，用语言或者文字将其归纳总结出来，并以某种形式进行传播的时候，它就变成了我们一般意义上的文化。其实，我们一直生活在某种文化当中，我们本身也是文化的载体和容器，我们的一生，都在演绎着一种自己所认可，或者自己所传承的文化。因此，比文化形式更重要的，是它的精神内涵；比从书本上了解某种文化更重要的，是用你的心灵去感受它。当然，不同的人，表达自己心目中的文化时，会选择不同的方法，他们对文化的见解也会不一样。所以，在这里，我只想说说我个人的观点。

大手印文化是人类文化当中一道非常美丽的风景，是人类智慧的精华，是一种智慧与利众精神的综合体。它是一股无形的清泉，能够滋润现代人焦渴热恼的心灵。但它并不是为宣泄或者消遣而存在的，它甚至不是为思辨而存在的，它的存在，就是为了让人们在生命当中演绎它，然后获得一个人能够获得的最大利益。这个最大利益是什么呢？就是发自灵魂深处的自由与快乐，这是漫天遍地的黄金都换不来的真正财富。

为什么大手印文化能让一个人获得这样的一种东西呢？因为它承载了一种超越的智慧。这种智慧，是超脱一切概念的，是心灵的东西。所以大手印文化的正确学习方法，应该是用心灵去感受它，而不是用逻辑去思辨它。当然，你在用心灵感受它的时候，并不仅仅是在感受一些书本上的东西，你还要感受大手印文化传承者的行为，并且学习用大手印的世界观，来面对这个世界。你要知道，虽然大手印文化以文字或语言的形式进行传播，但它并不是一种僵死的东西。文字或语言，只是便于你在对其一无所知时，慢慢触摸它、接近它、了解它的一种渠道。就像《金刚经》等了义经典中所承载的智慧，是超越文字的，但它们仍然必须诉诸文字，才能影响千年来无数人的心灵。修行人跟学者最大的不同之处，就在于前者接受了这种文化，于是在生命中演绎它、实践它，而后者仅仅是旁观它，或者解剖它。如果你仅仅是旁观它、解剖它的话，它就无法进入你的生命，就被迫变成了一种教条化的东西，但这并非大手印的本质。相反，假如你真正地接受这种文化的精神，将它渗入你的生命与灵魂，那么你的一言一行，就都是大手印的体现，也是大手印文化本身。

其实，大手印并非佛家的发明，释迦牟尼佛发现了它，就像哥伦布发现了美洲大陆一样。哥伦布发现新大陆，并让西方世界知道了它，释迦牟尼佛也是如此。所以有人也认为，在释迦牟尼佛之前就有无数的佛，他只是无数佛中的一个。他发现了这个真理，但真理本身是本来就存在的。释迦牟尼佛之所以伟大，不是无中生有地发明了一种让人能够得到绝对快乐的东西，而是发现并向世界演示了走向绝对快乐的道路。释迦牟尼佛涅槃之后，一代又一代的文化大师把这种文化瑰宝传承了下来，后来它成为西部文化中最为精髓的部分。

大手印分为两个部分，一是“教”，就是理论、文化、哲学；一是“证”，印证的证，就是当你明白这种文化、哲学、理论之后，就要在生命中把它们变成你的实际行为，变成你的生活方式。“证”就是你自己必须到达那个地方。什么地方？你想达到什么样的目的，你就必须以生命去实践，务求升华到那个境界。没有生命的实践、升华、行为，就不是大手印。它必须同时有理论，有实践，二者必须相得益彰，互相印证，互相照应。我举个例子，你提倡一种健康减肥方法，说得言之凿凿，但其实你自己从来没有实践过它，那么你凭什么说这种方法真的奏效，你凭什么能解答别人在实践中出现的许多问题？所以说，假如你并不按照自己提倡的理论与思想去生活，让生命达到你所说的那个层面的话，你就是骗子。世界上有很多这样的骗子，提倡一种精神，自己却蝇营狗苟，背地里搞些见不得人的事情，这种人太多了。

大手印文化跟好多文化不一样的地方，在于它有一种礼仪，比如禅定、观想等，其目的是让自己向往一种精神，并且慢慢地在向往中学习它、融入它。当你按照这种礼仪去做，并且参透大手印哲学的时候，你的生命就会发生一种自然而然的变化。什么样的变化？我举个例子，一个小人，他的心里充满了贪婪、仇恨、自私，非常无知，但是有一天他觉得欲望之火就快烧烂了他的心，他太痛苦了，再也不想这样下去，于是他就开始诵经、读书、坐禅等，用某种特定的方法努力改变自己，有一天他就会变得不再贪婪，不再无知，他的头脑会变得清明，他的智慧会开始觉醒，他会变得相对博大，不再仇恨，变得宽容，能够包容一切。当一个小人变成丛飞、孔繁森那样伟大的人，能够贡献社会的时候，就意味着他用生命的实践令自己达到了这个层次。如果你没有相应的行为和实践，所有文化都没有意义。

2.
用智慧的双眼面对世界

明空智慧，是大手印文化的核心内容之一。它是一种不能言传、只能印心的东西，是每个人本有的智慧。开启明空智慧，就是我们常说的“开悟”，也叫明心见性。

我说过，明心见性有特定的标准，而不是一种造作的东西，也不仅仅是一种道理上的明白。你即便明白了一种道理，也不代表你的心灵和身体就能接受它。比如，相信好多朋友都遇到过这类情况：明知太晚睡觉对身体不好，但身体硬要失眠，也没有办法；明知酒喝多了对肝不好，还容易乱性，但一见酒还是会喝得醺醺大醉。所以说，知易行难。如何让知行合一？你必须要真正开悟，真正地明心见性。真正的明心见性是一种非常特殊的智慧状态，它是以执著的破除为基本标准的，它是身心合一的一种智慧。要是还不知道如何破除烦恼与执著，就不是真正的明心见性。所以，它跟一般心灵课程上面所说的“重新认识自己”与“跟自己好好相处”关系不大，它是一种远离逻辑思辨的东西，也非心理学中所说的“内观”。你是不是达到了明心见性，自己是无法判断的，只能让已经明心见性的人来为你印证，否则你很容易会因为最初一点点谬误而走上一条南辕北辙的路，严重者还会走火入魔。所以，能否找到为你开示心性并为你印心的根本上师，确实非常重要。得到上师开示，你明心见性之后，才会有明空智慧，这时，既如如不动，又了了分明，心如映照一切的明镜一般。

有人也问我，明心见性之后的时时观照当下，与聚精会神做当下的事有差别吗？我告诉他，有差别，真正的时时观照是真心的妙用，聚精会神者不一定能认知到真心。真心的作用下，妄念也是妙用。比如，你知道自己的心乱了，这是妄念，但那个知道你的心乱了、它自己却不乱的东西，就是你的真心。

要是你看到了真心，并且经过了上师印证的话，就守住它，牢牢地守住它，在你生命的每一分每一秒当中安住于它。假如有妄念生起，你也别去管，提起正念，警觉放松，不要随着妄念走，让那妄念像偶然经过的路人一样，与你擦肩而过，你不要与它攀谈，更不要把它留下喝茶。当然，它要是留下也不要紧，你只管静静地观察它。你要知道，好多妄念都是幻觉，事物的真相往往隐藏在宁静的心灵与清醒的“智慧眼”当中。所以，你不要去在乎那幻觉，只守住那真相，守住你的真心。守住真心，便是真正的修行。佛家的所有修炼，都是为了让你认知真心，守住真心，达到如如不动但又了了分明，仅此而已。

当你守住真心的时候，你也就俱足了面对这个世界时所需要的一种出世间智慧。它掌管的是你心灵的状态，但它不会直接告诉你怎么才能赚到钱，怎样才能升职升得更快。不过，有趣的是，俱足出世间智慧的人，在做入世之事的时候，往往比别人更容易成功。我举个例子，好多人以为我这样的人做世间事的时候，不容易成功，因为我没什么欲望，也无求，但事实正好相反。正因为我的心灵非常宁静，所以我能够轻易发现一些利欲熏心的人经常忽略的细节，这些细节中往往隐藏了无数的玄机。这不是我的想当然，是经过实践验证的：在许多年前，我曾经过商，办过公司，它非常赚钱，后来我嫌它占用了我太多的生命时光，就把它给关掉了。我之所以嫌它占用我太多生命时光的原因是，我知道自己这辈子不是赚钱来的，因此我宁愿用这些时间来写一些对世界真正有意义的书。好多当时与我一起经商的朋友，现在都已经非常有钱了，但是他们都很羡慕我，就是因为我写了几本有意义的书，做了一些有益于世界的事情。他们都知道，这才是一个人真正的价值。因为，百年之后，任何人都找不到他们挣的那些钱，但世界上还会流传我写的书。

当你具有一种出世间智慧的时候，你自然会明白什么是你生命中最重要的事情，其他的都是障碍，你不会去在乎它们，你会毅然决然地拒绝它们、舍弃它们，然后义无反顾、不计后果地向着你的目标前进。这一点，好多人都不是非常理解，原因就在于，他们没有从心底里接受无常。

我跟很多人不一样的地方在于，我很小的时候就对死亡有了非常深刻的体验，后来弟弟的死，更是给了我极大的冲击。这些对无常的体悟，以及后来对其他事的一些思考，改变了我整个人生。在面对死亡的时候，我放下了许多执著，因为我知道，好多事情，你想在乎，也是在乎不了的。你甚至不能肯定自己下一分钟是不是还活在世界上，你在乎那么多事情，又有什么真正的意义？

有好多人，在人生的巅峰时期得了绝症，还有好多人，一辆飞驰的汽车就结束了他们非常年轻的生命。因为从来没有想过这个世界有多么的无常、生命是多么的无常，所以他们留下了很多遗憾，他们临死前或许会非常后悔，非常不甘心，他们多么希望上天能再给自己一点时间，再给自己一个机会，让他们去做那些自己必须完成的事情，但是他们再没有任何机会了。一旦他们停止呼吸与心跳，生命力就会非常干脆地离开他们的躯体，结束他们此生的一切，强迫他们与这辈子所有的东西——包括身份、家庭、爱情、财富，等等——断绝关系。所以说，你永远都不知道，自己到底有没有足够的时间，来完成自己必须完成的事情，你必须珍惜每一个当下，在每一个当下竭尽全力。你必须保证，假如有一天停止了呼吸，你能够坦然地对待自己，不给生命留下难以弥补的遗憾。

3.
慈悲，是一种包容的爱

在一次访谈中，有个网友问我，雪漠老师，网上有一种说法，念某种咒语，修学任何密法都有盗法之嫌，是否真有其事？我告诉他，密法必须得到上师真传，单纯的自学意义不大，而且你可能会走错路。但盗法之说，佛经上也少见。你想，只要“盗”得法去，修出无数个佛来，岂不更好？

确实是这样的，佛陀从来没有将自己研究出来的方便法门，当成自家的私有财产，也没有把自己发现的明空智慧，当成自己腰包里的票子。你想，他能把自己的肉都割下来喂鹰、喂虎，又怎么会吝于将自己的智慧宝藏与众人分享？要不，我们也无法因《金刚经》而受益无穷。确实是这样的，佛家之所以出世，就是因为佛陀发现了一些能让世人获得灵魂清凉的方法。他找到了一种渠道、一种形式，想要把这些方法告诉所有需要它们的人。

密法之所以为密法，“密”在对机，也密在那“心印”的无法言传，而不是说它需要藏藏掖掖、不愿示人，更不是说谁偷偷修了密法，就会得到什么样的报应。我举个例子，奶格玛传下香巴噶举的法要，是为了让更多的人能够解脱，而绝不是为了把任何人送入地狱的。

佛法依托文字、仪轨、语言等形式面世，目的只有一个，就是让这个世界上多修出几个佛来。只是有的时候，有人喜欢穿上信仰的外衣，以信仰为职业，把珍贵的法门当成赚钱的工具，为自己换来金钱、物质等等利益，才编造出种种奇怪的说法。但那绝非佛陀的本意，更非佛法的真谛。你一定要记住，真正的大成就者，是“大”“手”“印”三者的完美结合，也即得到身、口、意、功德、事业、学养六种成就，才是大成就。自觉、觉他、觉行圆满，才是佛。那种以佛家的名义制造是非，分离、践踏文化的人，肯定没有成就。真正的上师最高兴的，就是弟子超过自己，再用那真理的光明去照亮世界。假如你发现一些成就者，不希望其他人成就，想在精神上奴役别人，那么他肯定没有得到究竟成就。成就与否，不能光看他是否披了僧衣，一定要看他的行为，看他是否因为自己的存在让身边的人升华了人格。所以，我们最先帮助的，应该是我们身边的人。

佛家思想中非常感人的一种东西，就是包容，包容一切，这是一种非常博大的胸怀。《金刚经》中说：“所有一切众生之类，若卵生、若胎生、若湿生、若化生、若有色、若无色、若有想、若无想、若非有想、非无想，我皆令入无余涅槃而灭度之。”就是说，不管你在六道中的哪一道，也不管你是何出身，不管你是鲜花还是毒草，佛都愿意帮你得到智慧解脱，让你沐浴在无上的智慧光明当中，与光明融为一体。有人如果做不到这一点的时候，就肯定没有成佛。因为他仍然有分别心，有分别心的时候，他就无法平等地对待每一个人。

没有分别的爱，就是一种非常博大的爱，就像普天之下，都是自己的孩子，无论年纪大小，无论样貌美丑，无论学历高低，无论聪明或是愚笨，无论贫穷或是富有。当你沐浴在这样一种大爱之中的时候，就像一个孩子躺在母亲的怀里，是非常自在、坦然的，但你必须长大，因为你知道自己有一天也会成为母亲，也要给众生这样的爱。

那么，既然佛家提倡的是这样一种无私的、无条件的、平等的爱，为什么还会有“佛不度无缘之人”的说法呢？从何判断是否有缘，由谁来判断？如果由佛家来判断的话，难道这不是另一种分别心吗？其实不然。我们前面也说过，缘，是一种选择，不是佛家的选择，而是那不肯被救赎之人的选择。这里的选择，也是一种信心。所以，佛家的“不度无缘之人”，反而是对那无缘之人的包容与尊重。佛家重视每一个生命个体，它不会像美国的那些好战者那样，将自己的某种文化以“强暴”的形式推销给别人。所以，它虽有大爱之心，但不度无缘之人。

当然，假如你希望以佛家的方式来升华自己，来活得明白，那也很好。那么你首先就要做个好人，宽恕身边那些跟你一样有毛病的人，帮助身边那些跟你一样需要帮助的人。每次起心动念，都尽量地忆及他人，多替他人想想，你心中的爱就会一天天壮大。你要记住，所有信仰的内涵，都是大善、大爱、大美。这“大”便意味着平等与包容。你还要尽快找到你生命中的善知识，净信他，让他帮你点燃心灵的明灯。只有你自己心里有了光，才能真正地照亮别人。

4.

改变自己，就是改变世界

这个时代，是一个没有信仰的时代，是佛陀所说的“末法时代”。很多人没有信仰，没有坚守，自暴自弃，自甘堕落，进而害人害己。对于没有正信者来说，末法时代是一个冷漠的时代。

冷漠，是因为大多数人的心灵已经死亡，只是我们自己未必知道。我们忙于追名逐利，疏于与自己的心灵对话，疏于吸纳一些真正的心灵营养，毫无选择地接纳信息，也缺乏做出正确选择的标准，于是在不知不觉中，吸取了大量的精神毒药。我们不懂那是毒药，还认为那是智慧甘露，而乐此不疲。我们就是在这种变相的“吸毒”当中，灵魂逐渐萎靡，心灵逐渐死亡，因而变得麻木不仁，面对世界上非常美的景象时，已难有感动、难有心动。因为我们的心里装满了功利化的猜度与算计。我们感受不到被爱，也不敢甚至无法真正地去爱，渐渐陷入极度的寂寞、空虚与寒冷，不再相信真善美。最可怕的是，我们用自己的不相信，不断荼毒着一些仍然相信者的心灵，用一种自私自利的观点，去污染一些干净的心灵。我们是无知的，是可怜的，但也是罪恶的。我们的文化绝不能为任何罪恶做啦啦队，我们绝不能为“恶”的信息摇旗助威。因为，有一天，这罪恶定会反过来吞噬所有为它摇旗助威的人。

我举个例子，每次地震，都会暴露出一些豆腐渣工程。这些豆腐渣工程是怎么来的呢？就是因为好多人认为自己没有义务维护公共道德，大家都自扫门前雪，还嘲笑那些为他人扫雪的人。事实上，我们每个人都是公共道德的实施者，也是公共道德的受益者，更是无公共道德的受害者。比如，那些不负责任的豆腐渣工程的监管者，在地震中也许就有亲人死去。当每个人都认为公共道德跟自己无关，并且乐此不疲地自私下去的时候，你可能就会成为那些不负责任者的牺牲品。所以，我们每个人对社会都应该有一份责任。

我再举个很简单的例子，人人都厌恶那贪污受贿者，贪污受贿者也确实有他不值得尊重的地方，但是假如没有那行贿的文化土壤，又怎么会诞生出一批又一批的贪污受贿者呢？比如，如果你想办成一件什么事的时候，你会不会去给负责这件事的人送礼、塞钱？假如你曾经这样做过的话，那么你就没有权利理直气壮地谴责那些贪污受贿者，因为正是你与无数个跟你一样的人，用自己的行为助长了这种贪婪的文化。这就像你用毒药养大一棵果树，果树成熟后你摘果子吃，结果中了它的毒，那么你该怨那有毒的果子，还是怨那施毒的你自己？当然，我的意思并不是说不应该谴责那些贪官污吏，而是说，你在谴责他们的同时，也应该反思自己，反思这种文化，进而改变自己，改变这种文化。

假如每一个人都不愿意改变自己的心、修正自己的行为，就无法改变那“恶”的土壤，恶的土壤没有得到改变，就一定会长出恶的果实。你一定要正视这一点。不要抱有一种侥幸的心理，盼望心外的某种强大存在，能惩治那些贪污受贿的人，能为社会伸张正义，能让社会上的罪恶一扫而尽。你要牢牢记住一句话：“野火烧不尽，春风吹又生。”只要这个世界上充满了贪婪的土壤，就一定会不断产生各种罪恶的现象。要减少罪恶，甚至消除罪恶，唯一的方法就是从改变自己做起。要正视自己内心的贪执，尽一切努力消减它们，活得明白而快乐，然后再把你以实际行为证得的光明传递给你身边的人，让他们也能活得明白而快乐。

当每一个人都活得明白快乐的时候，充满欲望与罪恶的土壤就会改变，这个世界也会改变；反之，如果每一个人都不愿意改变自己，而要求别人先去改变的话，恶的土壤就不会有一丝一毫的改变，整个世界也将在无穷无尽的贪婪、无知、嗔恨、嫉妒等负面情绪当中，飞快地向更黑暗的深渊滑去。

有人问我："雪漠老师，我知道您提倡的善文化，是站在全人类的高度而言的，具有醒世的作用。可我也知道，人类的历史就是战争的历史、杀戮的历史。战争、杀戮、掠夺，从来就没有停止过。胜者王侯败者寇。您提倡的文化是否过于理想化？"我是这样回答他的："是的，相对于黑暗，灯光确实太理想了。但要是没有灯光，人类又有啥希望呢？"

我认为，即使在这样一个冷漠的时代，仍然需要有一批追求光明的人，仍然会有一批人，他们愿意以改变自己来改变世界，以照亮自己来照亮世界。我也深深相信，只要有人类存在的一天，这样的向往与追求就不会消失，因为它们是人性中一种类似于本能的东西，正如飞蛾天性中就爱扑火。就算人类的欲望越来越强烈，文化的土壤充满了麻痹心灵的毒素，但仍然会存在着一些拒绝“吸毒”、想要健康生活的人，这些人仍然会为改变世界而竭尽全力地升华自己。他们身上所承载的利众精神，他们以所有行为传播着的善文化，仍是人类的希望，也是世界的希望，这才是我们真正应该为之举旗、为之呐喊助威的东西。

5.
区别营养与毒药

当初，著名评论家雷达老师在不遗余力地对外推荐我的小说《大漠祭》时说道：“在今天这样一个信息过剩和信息交错的时代，你的声音放得再高，引起的注意也很有限。”同样的道理，在今天这个信息繁杂的时代，要区别扑面而来的信息到底是营养，还是毒药，也不是一件容易的事情。因为，吃多了有毒的东西，你很可能就会“中毒”，进而失去明辨是非的能力。

在一次讲座中，我分享了自己分辨好书与毒药的标准，如果你愿意，也可以用这个标准来从海量的信息当中，筛选值得自己吸收的营养。这个标准是：让你清凉向上者，好书；让你堕落热恼者，毒药。

我举个例子，有个作家写了一本书，里面讲了一个人进入官场之后，如何在重重压力之下变成了一个贪官。

这本书卖得很好，但是我读完之后却认为，这本书写得不好。为什么我会这么说呢？因为看过这本书的人都会觉得，一个人在社会的重压之下，是不得不堕落的，那么它就给了好多人堕落的借口，它会让好多人都放纵自己的欲望。而事实上，那些不追逐欲望、不曾堕落的人，其实也能很好地活下去，甚至可能活得比追名逐利者更好。

对于大多数人来说，人类的欲望从来都比智慧显得更为强大，所以我们的文化绝对不能宣扬欲望，更不能宣扬自我放纵。要不，就会让许许多多的人，在这种文化的熏陶之下，变得越来越堕落，越来越自私，有一天，他们的良知就会死亡，他们的心灵也会死亡。他们就会变成世界的“病毒”，不断地毒化那些健康的细胞，毒化那些心灵健康的人。如果整个社会都被这样的一种风气长期笼罩下去的话，社会就会堕落，欲望就会大行其道，善良、向上、充满爱的声音也会越来越找不到自己的空间。也就是说，认可这种世界观、价值观、人生观的人将会越来越少。那么，贪婪的毒素就会深深渗入文化土壤的深处，并以癌细胞般的扩散速度蔓延开来，损坏机体。那时，所有贪婪的拥护者，都会为这种贪婪的文化所害，但他们仍然不会醒觉，因为贪婪已经变成了他们的集体无意识，吞噬了他们的良知与清醒。这是非常可怕的事情。

我看过一部叫作《耶稣受难记》的电影，它是一部关于信仰的影片，好多人对它的评价都非常高，认为它非常感人，但是我却从中看到了血腥。当人们问我，这是不是意味着耶稣的传道方式不是明智之举时，我告诉他们，耶稣有真精神，但那导演却没有，他只是在展示血腥的场面，以吸引眼球，并没有表达出一种宽容、博爱的精神。因为，一个人所表达的东西，永远都无法超越他自己的境界，当他不具备一种智慧的时候，他就无法超越欲望与血腥，来表述自己对这一事件的理解。

可见，即使某个信息被冠以一种似乎非常神圣的名头，它也未必像自己所标榜的那样神圣。其区别在于，它倾注大部分力量所表达的东西，有着怎样的内容，这内容所放大的，是人类内心美好的那部分，还是人类内心丑恶的那部分。假如是前者，它就是营养；假如是后者，它就是毒药。

所谓营养，就是让你积极向上，让你更加善良、快乐、慈悲、宽容，更愿意奉献，更有爱心的东西，它是一种正面的信息与力量。在这种信息的熏染下，在这种力量的支持下，你内心的神性就会增长。当你的心灵跟这类信息发生共振的时候，你就会变得快乐、善良、宽容、积极、健康，而且充满了对真善美的向往。比如，读过《海的女儿》的人，不管是大人还是孩子，都会被美丽又善良的小美人鱼感动，因为她代表了一种为爱而献身的精神。

这种奉献的爱，是好多人都向往的，不同的是安徒生用一种童话的形式把它表达了出来。因为它激起的，是人类内心世界当中一种非常美丽的情怀，一种非常美丽的向往，所以它是人类心灵的营养。托尔斯泰、陀思妥耶夫斯基等伟大作家，他们的作品不论大小，都具有这样的一种特性，因此，他们的心灵，才称得上是伟大心灵。

我的一个学生告诉我，在她读书的时候，有一首香港流行歌曲挺受欢迎，现在想想，发现那真是一剂彻彻底底的毒药。为啥这么说呢？因为，歌里唱的是一个失恋的女子狠狠诅咒抛弃自己的男子，希望他得到报应。听过这首歌的人，尤其是那些失恋的女孩子，肯定会被这首歌里面非常恶毒、非常邪恶的气场所污染，他们或许会想起伤害过自己的人事物，然后也用最恶毒的语言和心念去诅咒他们。这时，他们内心的愤怒就被激活，甚至无限地放大了。

事实上，这种东西还有好多。现在有好多音乐、文学、影视、绘画等作品，包括媒体的言论，都在传播一种充满了欲望、堕落的东西，它们总是在助长着社会上一种非常负面的力量，让整个社会走向堕落而不自知。生产和传播这类信息的人们，都是无知的，更是罪恶的。他们中的一些人，以为这只是自己宣泄出的一些情绪垃圾，无伤大雅，但实际上，当每个人都这样去宣泄的时候，这情绪就变成了一种笼罩人类世界的有毒迷雾，让所有心灵无法自主的人，都因中毒而“基因突变”，变成了可怕的“僵尸”。更可怕的是，好多人明知欲望会给人带来痛苦，却仍然竭尽全力地宣扬和激活着人类的欲望，仅仅是为了填满自己的腰包。

当一个人成为“僵尸”的时候，他会排斥真善美，而去追求一种丑恶、可怕的东西，一种欲望化的东西。在这个时候，他已经很难升华，很难改变死去的心灵了。除非他的生命当中出现一种巨大的苦难，这苦难的力量，足以让他发生一种脱胎换骨式的灵魂历练。而对于大多数人来说，在心灵死亡之前，就停止花费宝贵时间去“精神吸毒”，寻找一种能够产生正面意义的共鸣，才是我们更值得去做的事情。

6.

让生命在苦难中升华

生活中总有各种各样不同的事情发生，小至一个人内心的风暴，大至一个群体的风暴，甚至一个国家的风暴。当这些风暴带来的，是好多人都不愿意去面对的东西时，我们就称之为“苦难”。

我举个例子，这些年来，地球上发生了许许多多的灾难，地震便是其中之一。大规模的地震，让全人类都受到了一种前所未有的触动，至少在那段日子里，人类真正变成了一个整体，不同种族、国家之间的人，互相之间有了一种悲悯，有了一种感同身受。这很好。但有一点是，为什么一定要发生这样的灾难，一定要在成千上万人失去生命、失去家园、失去亲人的时候，一定要目睹那触目惊心的鲜血与废墟时，我们心中那份不需要一切条件的爱——那份大爱——才会被短暂地唤醒呢？为什么一旦生活趋于平淡，生活回到原有的节奏，我们的心灵便又开始变得麻木和冷漠呢？我们不应该是这样的。

面对巨大的灾难时，为千里之外的灾民们感到心痛，这是对的，因为人类是一体的，他们的灾难，也是我们的灾难，悲悯是佛家从来都不反对的一种执著。相反，如果释迦牟尼佛没有了对众生的牵挂，那么他便不足以为千年来的无数人所称道，更不足以被称为佛陀。所以，任何一个人，在任何一个时候，最不应该放下的，就是对众生的悲悯。这种悲悯，也可以说是对他人的一点好意、一份爱。拥有这份好意、这点爱的人，才是一个活生生的人，而不是行尸走肉，一具僵尸，一个地球的“癌细胞”。然而，我们同时也要反思自己，为什么在灾难没有降临的时候，我们却不能体会到这份无我的爱，不懂得真诚地面对和珍惜身边的每一个人呢？

我们也应该想一想，我们以后是不是应该活得更有价值一些？当有一天死亡时，我们有没有遗憾？当你知道自己应该如何活着，知道自己的生命当中缺少哪些必须有的东西时，你就会活出一段不一样的人生。

但是好多人在面对地震等灾难的时候，关心的却是另外一种东西。比如，有的人会在网上批判一些人捐钱捐得少。当然，说这些话的人，他们也希望有人能为这个社会做些好事，能改变这个社会，能为这个社会带来一点好的东西。这也很好。但是，他们又为这个世界做了一些什么呢？说不清。好多时候，我们总是把“改变世界”这个美好希望，寄托在某个看不见的神身上，寄托在某个具有神奇力量的超人身上，或者寄托在某些有钱人的身上，希望得不到满足的时候，就感到悲观、失落、愤怒。为什么我们不能相信自己，首先改变自己，然后用自己证得的光明来照亮世界呢？

灾区的重建需要钱，这个世界上好多因贫穷而陷入悲剧的家庭、群体都需要钱，当我们的生活中有足够的财富时，我们用财施的方法来帮助他们也很好，但我们不应该把自己的标准强加在别人的身上，要求别人像自己所想的那样。不应该把对世界的美好希望，变成一种四处打人的道德棒子。何况，我举个例子，议论陈光标的行善是作秀的那些人，他们在面对同样抉择的时候，会不会拿出那么多钱来帮助别人，哪怕只是为了作秀？非议章子怡为行善而努力的那些人，他们又能不能付出章子怡那样的努力，哪怕只是为了炒作自己？不管作秀也罢，炒作也罢，总有人因此而获益，一些读不上书的穷孩子，他们因此可以读上书了，他们的命运就可能发生改变。

我的一个学生告诉我，她有个初中同学，是个非常乖巧的女孩子，但是因为家里没钱，她初中就辍学了，如花的年纪，只能帮舅舅在市场里卖海鲜。她想读书，但这样一个简单的梦，却被现实无情地撞碎了。

在这个世界上，有好多这样的女孩和男孩。他们没法像同龄的孩子那样，过上简单快乐的生活，他们过早失去了美丽诗意的幻想。他们的生活，都被灰色腌透了。如果这个时候，有一个哪怕是为了作秀的人——帮助了他们，给了他们一笔钱，供他们读书，让他们学习自己想学的知识，他们的生命或许就会因此而升华，他们可能就会拥有一种力量，也许就不用做自己不愿做的事情来谋生活。

所以说，不管人们是伪善还是真心行善，只要他们的行为能给人带来一种实实在在的利益，我们就不应该去斥责他们，更不应该去斥责行善这种行为本身。尤其是社会上的主流媒体，以及那些有着巨大影响力的人们。永远都要记住，我们的文化，应该是善的助缘，任何助长了悲观、消极情绪，打击了人们对善的向往的，都不是好的文化，更不是我们应该去传播的东西。假如我们对社会有着美好的愿望，就要在生活中，在面对整个世界的时候，慢慢增长我们的智慧，不要让忽生忽灭的现象遮住了你的双眼，要分清什么才是对人类真正有益、对世界真正有益的行为，要分清什么样的行为，才真正能够诠释你的向往，甚至信仰。无论出于什么原因，都不要让愤怒占据了你的心灵。要明白，在面对这个世界的时候，我们需要的不是精明、功利和愤怒，而是一颗智慧的、充满了爱的心灵。

当你沉浸在愤怒和计较当中不能自拔的时候，就想想灾难中的人们——那些突然失去了生命的人们。每次想起那时在电视中看到的景象，我都感慨不已——那扭曲的钢筋和断裂的石板，碾碎了数以万计的梦想，他们曾经的壮志也罢，豪情也罢，都随着突起的尘烟消散在云端了。我不知道，那些丧生于废墟之下和黑暗之中的人们，在生命消失之前，是否也有跟我相似的想法？但命运是残酷的，即使他们真的想改变一下过去，也没有机会了。那么，我们这些有机会活下去的人，难道不应该深思吗？那个时刻，你也许会发现，要是你死去，你还是个相对平庸的人；对世界、对人类，你还没有贡献更多的东西；还没有实现自己应该实现的人生价值。当面对死亡的时候，你才会真正明白：人的价值便是自己做过的事。人的肉体可以在一场地震之后消失，但善行承载的利众精神，却会传递下去，照亮一个个未来的灵魂。

当你明白了这一点，也就明白了苦难对于一个人的意义。你会明白，经历苦难也罢，目睹苦难也罢，感受那份“苦”都不是最重要的。最重要的是，你因此而懂得，如何在爱与智慧当中，消解一种愤怒的、欲望的、懦弱的东西，让自己挺直了腰板站起来，让生命在“苦”中升华，为世界做出更多的有益贡献，珍惜每个当下，在短暂人生中，创造一些真善美的东西，活得明白而坦然。

7.
行为上见真章

好多人问我，为啥一些披着袈裟的出家人，反而比世人还要贪婪呢？我告诉他们，因为披着袈裟的人未必真的出家，而真出家的人，身上未必披着袈裟。真正的出家，是心的出家，而不仅仅是身的出家。皈依在于心对某种精神的向往，跟形式关系不大。这代表什么呢？这代表的是，假如你不给袈裟和剃度设定一种意义的话，袈裟就不过是另一种服装，剃度也不过是另一种发型。就是这样。释迦牟尼佛也说过，在末法时代，许多“魔”也会披上袈裟。他还说，佛家最终会坏在这种败类的手里。

啥是“魔”？内心充满各种欲望，不愿自省，不肯忏悔，还会利用一切机会，污染所有接触到他的人，这就是魔。最可怕的魔，并非你一眼就能看穿的魔，而正是那些假装信仰者的魔。为什么这么说？因为他们会利用袈裟这个标签，骗取迷信者的信任。他们的不如法行为，也会加重外界对佛家的误解，甚至令一些真正想要走进信仰的人失去向往。这是非常可怕的。

比如，有的人会到寺院里面朝拜，或者接近一些看起来是在修行的人，试图了解修行人的世界。这本是很好的事情，因为这代表着他们对一种神圣存在有着敬畏，或者有着想要走近的渴望。但他们却在那过程当中，发现了许许多多蝇营狗苟的东西，发现了许多争斗、是非、交易与阴谋，他们顿时大倒胃口，并且觉得非常纳闷：早晨还在大殿上念经，晚上就钩心斗角，这是为什么呢？因为，有的时候，袈裟就像一种工作服，而穿着袈裟的人，本身就像在进行着某种世俗的交易：一些人需要心外的佛，想用信仰的铜板换来金山般的福报，于是魔们就扮演心外的佛，为的就是赚取这些人口袋里的铜板。

所以，有人也问我，既然好多寺庙里面都有蝇营狗苟的东西，而且还有好多寺庙由私人承包，所有供养都落入了承包者的口袋，那么我们还要去这样的寺庙做供养吗？我回答他，随你。为啥？因为，从某种意义上来说，你供养的并非这座寺庙，而是你自己心目中一种神圣的存在。

供养的过程中，你其实是在用一种“舍”，表达着自己对这种存在的向往。这个过程，既增益着你的向往本身，也消减着你内心的贪婪与欲望。所以，从本质上来说，这种行为本身，是跟你供养的对象没有太大关系的，供养的真正受益者，其实还是你自己。当然，这里所说的供养，是一种真正的供养，而非那种世俗交易般的供养。

真修行人的敌人，永远都是自己的贪执，他所有的修行，也是为了消减自己的贪执，而不是换来一些健康、平安、财富之类的东西。假如你抱着换取一些什么的心态来修行的话，你的修行意义不大，因为它发挥不了真正的作用。修行真正的作用是什么呢？是让你本有的智慧显发，让你活得明白，不再做无知、欲望的奴隶，不再做世界上各种规矩的奴隶。好多形式上在修行的人，却无法改变自己的心，座上很宁静，但一下座，一跟人打交道，就会原形毕露，正是因为他们没有弄清楚修行的目的。这很像你坐上了一辆出租车，但却不知道自己的目的地是哪里，那么你就只能在偌大的城市中兜圈，在轮回的磨道中兜圈。

一定要明白这一点，否则你很可能会把注意力集中在好多无关紧要的东西上面，比如神通、神奇的觉受之类，你仅仅会关心一些神神道道的东西。你的眼里，可能容不下好多心中有光，外表却毫不神异的人，而去相信和崇拜一些似乎具有神奇功能的人。对于修行人——尤其是仍未开悟的修行人——来说，功能其实是一种巨大的障碍和干扰，是一种不值得提倡的东西。不值得提倡的原因是，它就像金钱和权势一样，会激起一个人心中的欲望，会对他构成一种极大的诱惑。我举个例子，假如一个人具有他心通的功能，知道人家心里在想什么，他可能在与每个人相处的时候，都会去窥探别人内心的秘密，以及别人对自己的真实看法，假如他获得的信息是负面的，这负面的信息就会对他造成极大的干扰，他会对此耿耿于怀，无法安心，但他又依赖于以这样的方式去面对世界，这就会变成他一个巨大的执著。所谓的解脱，是破除所有执著，而不是别的什么。如是故，我并不提倡在修行中关注一些神通的东西。面对世界的时候，你要从表象当中洞悉本质，但又要像镜子一样了然于心、如如不动，这需要的不是神异，而是心灵的明白和智慧的显发。后者，才是一个人解脱的唯一可能。

但是你要记住，心灵的明白，并不是口头上的滔滔不绝。你不能迷信和崇拜那些口头上滔滔不绝，但在利益冲突之下，却又选择损人利己的小人。你一定要知道，行为是一个人心灵的明镜，当一个人损人而利己的时候，不管他说出的话有多么伟大，都掩饰不了他自私和猥琐的本质。所以我在一次网络访谈中才说："莫听其言，多观其行。跟其相处，清凉者，善知识也。"

真学佛之人，心中不一定有“佛”的名相，但他一定有爱和善良。假学佛之人，名为学佛，却总是在制造是非。当你发现哪个修行人的毒箭总是射向别人，总是在说这个人有啥不好，那个人有啥不好的时候，你就千万不要学他。太虚法师说过：“仰止唯佛陀，完成在人格。人成即佛成，是名真现实。”你要把注意力集中在消除自己的贪执上面，升华自己的心灵，完善自己的人格，其他的东西，不要去在乎它，包括那些概念性的东西。你学习的对象，甚至不要局限于外表上学佛的那些人，你只管在别人的身上学习那爱和善良，向往那“佛”的利众精神，向往真善美，活在当下，珍惜当下，那么你就自然会向“佛”的方向走近。你不要去管那些“佛”的名相。

8.
如何面对评价

几乎所有人都希望得到他人的认可，这种强烈的渴求，是一个人成长的动力，让一个人能够在苦难中站起来，活出生命中更精彩的颜色。从这个角度上来看，对他人认可的渴求确实是一个好东西。但从另外一个角度来看，它可就不这么好了。为什么呢？因为，当你很希望能得到他人认可，却无论如何都得不到的时候，你的心里就会产生一种巨大的失落感，有的人能将这种失落感转化为自己前进的动力，但有的人却承受不住这种失落，承受不住的时候，他们就可能会患上抑郁症，甚至选择自杀。

有个学生告诉我，她很喜欢一个演员，那个演员是个做事认真、很有才华也非常善良的人，各方面都非常优秀，他以自己的努力获得了巨大的成就，也拥有一个非常相爱的恋人，可以说是集万千宠爱于一身。但是无论他如何努力，都得不到母亲的关爱，也得不到全世界的一致认可。于是，他总是在期待与失望当中轮回着，慢慢就得了严重的抑郁症。最初他是不想放弃自己的，所以四处寻找能让自己摆脱抑郁症的力量，却怎么都找不到。终于，在演艺事业如日中天的时候，他选择了跳楼自杀。我的学生说，看完这个演员的纪录片之后，她感到非常心痛。因为，她看到一个本来能更伟大地活着的人，一个本来能为世界创造更大价值的人，在自己编织的幻觉当中一天天憔悴，过早地结束了自己的生命，过早地失去了一切改变命运的机会。这是多么可惜的事情。

我对这个学生说，每个人都有自己的选择，当他选择了一种活法的时候，就必须对自己的选择负责任，每个人都是这样。上天并不会因为他的才华或者他世俗的成功，而对他特别眷顾，他要想改变自己的命运，就必须改变自己的心。正因为他一直都在心外求法，没有将注意力放在升华自心上面，所以他才无法得到真正的救赎。他最可惜的是，没有遇到一个能够为他点亮心灵的善知识，假如他能找到自己生命中最重要的那位导师，他的命运肯定就会改变。当然，从世俗意义上来说，他已经成功了，他给世界留下了好些很让人喜欢的电影，在死去那么多年之后，还有那么多人怀念他，还有那么多人因为看了他的电影喜欢上已经去世的他，说明他有他优秀的地方。但是一百年后、两百年后，还有人会记得他吗？当世界上又出现了一个他这种类型的演员时，还有没有人会像今天这样想念着他？说不清。在没有人能够替代他的时候，人们会记住他和他的故事，甚至会为他感到心痛。可当这世界上出现了一个足以替代他的好演员时，许多人都会忘记他的一切——忘记他留下的电影，忘记他的强大与脆弱，忘记他悲剧的人生。

“雪漠禅坛”曾经讨论过另外一个世间法意义上非常成功的人：苹果的创始人乔布斯。我在回答网友提问时说，乔布斯为世界留下了几部好手机，当然，他也留下了好平板电脑，等等，但是不久之后，人们又会用更好的手机、更好的平板电脑。人们记住的仅仅是他的故事，即使这个时候全世界都在讨论和传播着他的故事，可是再过几十年，许多人都会忘记关于他的一切。当世界上又出现了另一个创造品牌神话的人，或者另一个有故事的人、另一款好手机，世界会不会把乔布斯忘记，去为另一个人大唱赞歌？肯定会。再者，假如另外一个苹果总裁带领苹果走向一种全新的领域，那么苹果还是不是乔布斯的苹果？说不清。这个世界上有太多可能性，因为因缘在不断和合与离散。世界就是这样。

我们永远都该记住，好的评价也罢，坏的评价也罢，都是一种记忆。即使这个时候，全世界都在为你鼓掌，都在为你歌功颂德，但明天他们就可能会把这些全都忘记，把你也给忘记。一百年前当然也有很多出名的演员，有很多出名的作家，但死去百年还被人铭记的又有多少？当然，别人对你的诋毁也是如此。有多少人认识你，有多少人为你鼓掌，有多少人在说你的好话，有多少人追捧你，有多少人买你的书、买你的光盘，这些都不重要，因为它们都会飞快地变成记忆，记忆是一种非常虚幻的东西。而且，你应该明白，真正构成你的价值的，并非外界对你的评价，而是你的行为。为什么我们记得《红楼梦》和曹雪芹？为什么我们记得《水浒传》和施耐庵？为什么我们记得《战争与和平》和托尔斯泰？为什么我们记得《老人与海》和海明威？因为他们创造了一种无法复制的价值，而这种价值，不仅仅是一本优秀的小说，更是小说当中承载的一种文化、一种精神、一种善的信息，它足以影响一代又一代的人，使人们对真善美有所向往，对某种可以为全人类带来福音的精神有所向往。这种东西，才是经得住时光洗礼的。再好的文学技巧、再神奇的故事，都有着被取代的可能，只有善美的精神不会。承载了善美精神的文学不但不会被取代，反而会融入人性当中一种最美的向往，成为这种向往的标志之一。

这就是为什么真正的文化大师能实现一种相对永恒的原因。比如，琼波浪觉、唐东嘉波、密勒日巴等文化大师，他们身上所承载的大善文化，通过一代又一代人生命与灵魂的传承而延续了下去，他们的生命也随着这种传承而达到了一种相对的不朽。这就是出世间法成功与世间法成功的区别。

9.

形式的局限

当一种东西仅仅成为形式的时候，就会失去其中的真精神，信仰就是其中之一。好多人对我说，他们身边的人普遍排斥佛家信仰者，一听说你学佛，就自然会生起一种戒心，因为他们对学佛者有着某种误解。这种误解从何而来呢？就是从那些将信仰形式化的人身上得来的。

比起形式来说，佛家的内容与其中的精神更为重要，但是现在有好多人虽然信佛，却并不了解“佛”的真意，也不具备一种真正的佛家精神。虽然大多数佛教徒是令人尊敬的，但也有一些人，他们或将信仰视为一种职业、一种谋财的手段，比如一些披着僧衣的骗子、一些强迫别人捐香火钱的寺庙、一些通过恐吓的手段骗取供养的假修行人等，或将信仰视为一种精神上的慰藉、一种虚幻的寄托。但这只是一些现象，是佛教这个“杯子”背后那条长长的阴影。

为什么会有这样的阴影存在呢？因为信仰的阳光不能包围整个“杯子”。就是说，同样的形式之下，并不是所有人都受用了那种智慧的光明。不能受用的原因是，他们并不真正了解佛家思想的内涵，也不具有真正的向往，他们对佛家的理解，仅仅停留在一个非常不了义的阶段。有个网友曾经说过：“大手印文化的特征就是‘直指人心’。但我发现现在很多通俗的佛学书籍，都是从不了义的东西入手，并将其诠释为‘善巧方便’。如今时代，人的欲望在不断膨胀，这势必在另一方面产生不良的影响，甚至会将人引入歧途，这是我的担忧。”他说得有道理，我对他说，许多人有“直指人心”之心，但无“直指人心”之智，便只能方便了。有时候，越方便，其实越麻烦。许多方便，只能在技术层面玩玩花样，而不能在心性层次深入进去。

不能深入心性层次的修行，没有任何真正的意义，仅仅是在骗骗自己。因为，修行的目的就是为了明白，而不是为了修行本身。不管你念了多少遍咒子，观想得多么清晰，只要你没有明心见性，就无法进入真正的修行。假如仅仅停留在技术层面，玩一种形式化的东西，你就很难拥有一种真正的智慧。信仰之所以能够照亮人生，并不是因为它的形式，而是因为它能让人明白生命、明白人生，拥有一种洞察真相的智慧。这种智慧，才是让生活中所有问题迎刃而解的原因，不是别的什么东西。这才是信仰的原汁原味。

实际上，面对这个世界，就像面对信仰一样，不要仅仅着眼于它的形式，要透过形式，观其本质。世界上的一切，都是忽生忽灭的现象，但这些现象背后所隐藏的东西，往往是引起问题的根源。所以，相较于社会现象，我更关注诞生这些现象的一种文化土壤。我认为，当社会上盛行一种文化的时候，就必然会诞生出许多与这种文化相应的现象。

我举个例子，当所有人都认为金钱与地位是衡量一个人是否值得尊重的标准时，满足不了这个标准的人就得不到尊重。当他们得不到尊重，并因此对整个社会充满了无处发泄的仇恨时，他们的心理可能就会发生变异。比如说，有的人会虐待小动物，有的人会打老婆孩子，有的人会谋财害命。

所以说，当你面对这个世界的时候，不要被纷繁冗杂的现象所迷惑，要洞察它们的本质，熟悉它们的规律，这个过程不但升华着你的心灵，博大着你的胸怀，还丰富着你人生中一些必要的经验，帮助你在生命时空的每一分每一秒里，都做出正确的选择。所谓正确的选择，就是对你的目标有所帮助、而不是有所阻碍的选择。

例如，你知道好多暴力事件的背后，都隐藏着诸如社会生活中的不受尊重、社会资源分配的不公正、生活压力的日渐提升、恶性社会竞争等原因，它们都属于负面的力量，那么你就要尽己所能地为这个社会提供一种正面的力量，诸如尊重他人、包容他人、传播善文化等。你不要管自己的行为能收获多大的效果，只管尽力地去做。要知道，假如每一个你都不肯率先改变自己的话，整个社会都不会有改变的一天；然后当你愿意改变自己，而且因为改变自己而活得快乐、自在的时候，别人自然会以你为榜样，也试着改变自己。每个人都是一个世界，都在不断影响着他身边的人，所以，久而久之，社会就会发生改变。反之，增长人类愤怒、贪婪、无知的声音，对社会的改善是毫无益处的。一定要明白这一点。

有的人学佛，越学越烦恼，就是不明白这一点。他们越学佛，就越看不惯身边的人，总是觉得别人这个不好，那个又不好，烦恼反而越来越多。真正的学佛，应该是受用佛家的光明。佛家的光明，是用来对治自己毛病的，不是用来挑剔别人的。我常说，如果一个人长了眼睛是为了挑剔别人的话，那还不如瞎了更好。同样的道理，如果一个人学佛是为了挑剔别人的话，那还不如不学的好。真正的信仰，应当为人们带来光明、和平、安详、清凉，而不应该变成另外一种意义上的有色眼镜。信仰也不是叫人变得烦恼、心情沉重的，它是为了叫人轻松快乐明白的。叫人烦恼、沉重的，其实不是信仰，而是看起来很像信仰的一种热恼。

一个人在学习这个世界上的好多东西时，就是在不断地补充有益的知识，但真正能令他受用的，绝不是知识，而是知识被消化吸收之后形成的营养——心灵的养分。你不但要接受信仰阳光的照耀，还要不断吸收这些源于外部世界的养分，心灵才会慢慢升华，就像一棵小树不但要沐浴在阳光下，还要吸收土壤里的养分，才能不断长大一样。

10.

烦恼的消除

这世上所有的罪恶，根源都在分别心。当一个人用分别心来面对这个世界的时候，就会滋生许许多多的偏见，这些偏见又导致了许许多多相应的恶念和恶行。比如，当你很想做主编，但领导却提拔了你的同事时，你可能就会感到不甘心，对那新主编还有几分嫉恨，你可能会觉得他做什么都不顺眼，忍不住就想在别人面前说他的坏话，你甚至可能会故意不配合他的工作，给他出难题。因为，你对那“主编”二字有着一种贪执，既执著于那“名”，当然也执著于那“利”，执著于那“特权”。这种执著所诱发的一切情绪与行为，包括这执著本身，仍然是一种无知。

为什么这么说？要明白这一点，你必须诚实地面对自己的心灵，冷静地审视自心，看看你的嫉妒、不甘与发泄最终伤害的到底是谁。其实，受伤的人，首先就是你自己。即使所有人都因为你的话而讨厌那新任主编，你内心的嗔恨与痛苦仍然不会真正地消减，即便得到一种短暂的满足，你也会在受到外来刺激——例如他骂了你一顿——的时候，再次陷入嗔恨与痛苦当中，备受折磨。其原因在于，你的执著没有破除。这就像你脾胃虚弱，所以经常出现消化不良、胃胀气等症状，这些症状都是现象，而脾胃虚弱就是诞生这些现象的土壤。当你治标不治本，不去调节自己的脾胃，仅仅以西药来压制这些现象的时候，你的身体就会时不时出现各种各样的问题。所以我常常强调，对待世界上的一切，都应该透过现象，观其本质，从本质入手，才能根本解决问题。

我的《真心——心学六品》中有这样一段话：“显

现妙相时，若不认知心。遂受业风吹，迷乱于当庭。自心误为我，心用谓他人。能所遂对立，轮回由此生。”这段话是啥意思呢？就是说，当你面对这个世界上诸多现象的时候，如果不能认知自己的真心，安住于自己的真心，那么你的情绪与心念就会随着不断变化的外境而不断变化。你会将这些妄念组成的虚幻假象，当成一个真实存在的“我”，然后将这个“我”从世界当中划分出来，使“我”与“世界”变成两个对立的概念。从而诞生了“我得到了什么”“我失去了什么”“这个世界上什么都不属于我”“这个世界夺走了我的一切”等等千奇百怪的念头。这些念头当中，有些是会让你得到快乐的，比如“我得到了我想要的东西”“我比他们都强”等，但因缘在不断和合，无论得到之物还是失去之物，都难免会改变，你的欲望也一直在变。所以，只要你不能从这些虚幻的假象当中超脱出来，你的心就会不断在天堂与地狱之中徘徊。你一会儿像天人一样快乐，一会儿像阿修罗一样充满了仇恨，一会儿像动物般愚痴，一会儿像恶鬼般贪婪，一会儿又像地狱众生般痛苦。

这不断改变的，其实也不是你真正的心，而是那因缘和合而生的妄心。当你听任妄心的指使时，其实也就跟随了一种欲望的声音。所以，在我们说“跟着感觉走”时，那感觉并不是凡夫的冲动，而应该是明心见性之后的直感。如果你听从欲望的指引，不假思索地做事，你往往会发现自己开始迷失，因为你会发现，好多结果都不是你想要的。

我举个例子，我的一个学生告诉我，她家的房子出租给几个女孩子，这几个女孩子因为一件很小的事情发生争执，互相觉得对方不尊重自己，结果争执越演越烈，其中两个女孩还要求我那学生——也就是她们的房东——出面处理此事，甚至以租赁合同中的条款相压。后来，处于争执另一方的女孩在愤怒当中，就提出自己搬出去另找住所，但这个结果，却不是另外两个女孩子所希望看到的。

那学生问我，既然她们不想让那女孩子搬走，为啥要以如此激烈的态度对待这件事呢？我告诉她，好多人在情绪冲动之下，都会忽略行为与结果之间的联系，他们仅仅在跟随自己的情绪做好多事情。所以，当他们冷静下来的时候，就很难接受自己的选择所造成的结果。不过，他们愿意接受也罢，不愿意接受也罢，最终还是要接受的。因为世界上的事情，都是因缘和合的，当他们为这个结果创造了一种助缘的时候，就必须承受自己的行为所造成的一切。因此，我常常说，要安住于真心，用真心观照一切。当我们能够安住于真心，以真心的妙用来应对世界的时候，就不会被一种忽生忽灭的情绪所控制，也就无须去承受那些因一时冲动而种下的恶果，更无须因为一种无法控制的情绪而在烦恼当中越陷越深。

归根究底，无论什么样的情绪，都是因为分别心而产生的，分别心又由执著而产生。所以，佛教修炼的根本，便是破除自己的执著。当你破除执著的时候，自然无须控制情绪，你会发现自己也没啥需要去控制的情绪，也没啥需要去解决的烦恼，一切都是自然而然的。风起时，平静的湖面会泛起涟漪，甚至掀起波浪，但那涟漪与波浪都不是湖水的本来面目，只是一些短暂的现象。风息雨住的时候，湖面自然会恢复它的平静，你的心也是这样。假如你能够做到“由他妄境起，不起善恶心”，那当然最好，这便是消除了分别心的结果。

11.
心明了，路才会开

我是在武威土生土长的，当我长大之后，从这块土地走向外面世界时，我发现了两点。第一点，就是我的家乡具有别的地方所没有的一个宝库，这个宝库需要我们去挖掘；第二点，我发现了家乡的老百姓和外面的老百姓之间的一个差距。这个差距不是财富的多少、官职的高低，或社会位置的变化，而主要是一种观念的差异。

所以，当家乡的电台邀请我做嘉宾，对武威的百姓们说几句话的时候，我说："如果想使自己未来的生活有大的改观，就必须做到一点——心灵上走出武威，去吸收一些新的营养。武威的文化固然非常厚实，但同时它已产生了一种负面的毒素。好多人都生活在这个文化的历史阴影之下。有句话这样说：走出那片绿荫地，你的太阳就会发光。这句话是什么意思呢？就是说，这个世界上遍地都是阳光，你不能受用那温暖与光明，是因为你躲在阴影当中，一旦你愿意走出那片阴影的时候，你的生命就会变得不同。好多武威人并没有走出历史文化的绿荫地，所以，我的《猎原》中间就写了这一方面的一些反思，中间有一句话是这样的：'心的改变决定着命运的改变，心变了命就会变，心明了路才会开。'所以我希望武威百姓一定要转变自己的观念，紧跟这个时代，走出属于自己的路。"

很多年以前，我还很穷，但一经商，马上就富有了。为什么？因为我心明眼亮，我知道怎样可以挣钱。当你的精神达到一种境界，有了见解，就很容易发现商机。而且，武威这地方，经商的老百姓都是农民。他们虽然披上了商人外衣，但骨子里仍是农民。把这些人作为商业竞争对手，很容易成功。但是老百姓自己发现不了这一点，他们仍然被自己的旧观点所桎梏着，即使有人告诉他们这一点，他们也还是会怀疑的。我曾经建议一个修单车的人，在修单车的同时，也从废品收购站里买些旧书来卖，但是他一听要从什么地方买东西，就以为我是想骗他的钱。那时，武威还没有任何一个人卖二手书，所以假如那个时候他按照我说的去做了，或许能够轻易地多挣一些钱，肯定比光修单车要活得好很多。但是他没有这样做，因此错过了那个商机。所以，老百姓最需要心灵的开发。最终能改变一个人命运的，是智慧，是心的觉醒。心变了，命才会变。

我在小说《白虎关》中描写过一个类似的情节，兰兰和莹儿到沙漠里去背盐，差点在豺狗子的尖牙利爪下送了命，还赔上了一峰骆驼，谁知到了盐池才发现，原来那里早就通了汽车。好些读者向我反映说，这样一个小细节，看得他们心里生生发疼。为啥呢？因为他们从这个细节当中看到心灵的闭塞对一个人命运的巨大影响：你完全可以选择另外一种活法，但是你不知道。你不知道的时候，就要为你的不知道付出代价。这是非常令人感到心酸的事情。

我的学生和好多忠实读者，总喜欢在网上传播我说过的话，在生活中也总是向他们身边的人传播我的思想，为什么呢？就是因为他们希望让自己身边的人，能够看到生活的另一种可能性。生活的另一种可能性是什么呢？就是说，我们可以把这个世界当成巨大的宝库，从中吸取有益营养，令我们自己一天又一天地壮大，不要全盘地拒绝它，不要对它感到恐惧，但同时也不要受到这世界上许多人为概念的束缚。当你有了一个独立自主的心灵，不被这个世界束缚，也不会盲目地抗拒这个世界的时候，你的命运就会改变。

举个例子，我在做世间事的时候，会遵循世间法的规则，比如说，我知道赚钱的规则，但是我不会陷到这个东西里面去，我永远都知道，赚钱的规则是一种工具，我的心是属于我自己的。我不会因为知道了那些赚钱的规则，就陷进对金钱的欲望里面去，我永远都知道自己这辈子是干什么来的，我永远都把那最该做的事情摆在第一位，我不会去管自己能不能再挣更多的钱，也不管自己现在的钱是不是比别人多。我不管这些，我仅仅是闲着心，做完那些我该做的事情。前些时候，雪漠文化网上开设了“雪漠禅坛”，每到周六晚上，我都会上网为大家讲解不同主题的东西。后来在一些人的建议下，我又增设了线下的“雪漠禅坛”，原因是我认为这也是我愿意去做，而且应该去做的事情，因为这样可以让更多的人接触到我的思想，并且因此而受益。

你也应该试着这样，不要认为世界上的东西都没有意义，就全盘去否认它。实际上，世界上的一切，虽然本质上是虚幻无常的，但它们短暂的存在也总有它们自己的意义。比如，没有网络，你的视野就非常局限；没有汽车，你从一个地方到另一个地方就要花费更多的时间；没有钱，我就没法买下房子，开设“雪漠禅坛”，给大家免费讲一些有益心灵的文化。所有的一切都有它存在的价值，关键在于，你是否能够从中吸取到你需要的营养。

有的人在上网的时候，仅仅是在消遣，看一些毫无意义的东西，打发一下时间。但我上网的时候，却是看一些对我有益的东西，与一些人做必需的交流。我的意思是说，网络是一种工具，它就像刀一样，被用在哪里，能发挥多大的用处，都取决于你的心。世界上所有的一切都是这样。

所以说，假如你面对这个世界，觉得它非常无聊，非常乏味，毫无可爱之处的时候，你必须明白，它是你心灵的显现，它反映的是你心灵的状态。当你明白这一点的时候，就要找到你的梦想，找到你人生的意义；然后在以实际行为走近它的同时，净化你的心灵，升华你的心灵；然后，你就会感受到一个五彩缤纷，但又不会让你深陷其中的美妙世界，那才是真正的人间净土。

12.

将大千世界揽入怀中

佛家说“浊世即净土，烦恼即菩提”的时候，好多人都不明白这句话是什么意思。那么我表达这个观点的时候就换了一种说法，我说：“心大则诸法皆营养，心小则举世皆绊索。”这句话是什么意思呢？就是说，当你心量很小的时候，一件小小的事情就能对你造成干扰，让你产生烦恼，让你无法平静地生活，更无法享受一种非常纯净的快乐；但是当你心量很大的时候，世界上的一切都是能够滋养你的营养，包括所谓的烦恼。在智者的眼中，逆缘即顺缘，就是说，生活中那些看起来很像磨难的东西，实际上也是让一个人成长的助缘。

举个简单的例子，一个人在生命最绚烂的时候，却得上了重病，假如他仅仅沉浸在对这个疾病的恐惧当中，害怕那巨大的未知，害怕自己将会因为生命状态的切换而变得一无所有的时候，这件事对他来说，就是一个巨大的灾难；但是，当他换一个角度来看这件事，从中发现生命的虚幻、拥有之物的虚幻时，他可能就会超越生与死，用另一种态度来面对人生以及死亡本身。他也许会在死亡的契机当中，看破红尘，放下一切执著，做那当下最该做的事情，他的生命价值也会因此而得到升华。当一个人拥有一种直观智慧，并能用它来观照人生的时候，他就会发现，许许多多世俗所说的财富，小车也罢、楼房也罢、票子也罢、权势也罢，都比不上生命价值的升华那么重要，包括生命本身。所以说，好多事情，烦恼和菩提，浊世和净土，说到底，也只是角度的问题。

不过，对于大部分人来说，成功调整自己的角度，都不是一件容易的事情。事实上，能够意识到自己应该调整看待事物的角度，便已不是一件容易的事。因为，大多数人都是不愿意改变自己的，尤其不愿意从根本上改变自己。比起改变自己，我们更希望这个世界能够满足我们的希望，不要让我们承受任何失落，不要让我们的期待落空，但这显然是不可能的事情。因为，资源是有限的，人类的欲望却是无限的。而且，世上一切都是因缘和合的，一切都会随着因缘的离散而改变，我们所寻找的永恒其实并不存在，当我们发现自己无论如何都无法永远拥有一些东西的时候，就会感到失落，进而明白世界的无常，甚至生起一种厌离感。当你开始对某一事物，或者整个虚幻世界生厌的时候，就必然产生要脱离那种令你无限厌倦的境况的渴望，这种渴望，我们称之为“出离心”。

出离心的生起是一个人寻求改变的原因，也是一个人改变自己的动力。在佛家的观点当中，出离心、菩提心、正见，是佛法的三根本，缺一不可。不能生起出离心，贪恋尘世俗乐的时候，就不能产生救赎灵魂的大力。我举个例子，如果你不觉得一个人很讨厌，又怎么会想尽办法不再与他接触呢？不同的是，修行并不是要让你讨厌世界上的人，更不是要让你讨厌这个世界，而仅仅是要让你看清世界的真相，清清楚楚地明白这个世界是虚幻的，不可能永恒，无数现象在永无休止的因缘聚合与离散当中忽生忽

灭，然后就不要迷恋那不可能永恒之物，从这种必然产生失落的迷恋当中超脱出来。正如你知道，即便与一个人再投缘，你们也终归要说再见，那么就不要奢望与他永远待在一起，不要期待那不可能发生的事情，不要抗拒那不可能缺席的改变。因为你知道，即便你多么用力地握紧掌心中的水，它还是会从你的指缝中流走的。那么，该说再见的时候，就要坦然而坚决地说再见，坦然地接受未知与改变。想做到这一点并不容易，你必须改变自己的心灵，将心灵当中所有让你感到恐惧、失落、不甘的污垢都清除掉。

你要知道，这些东西其实仅仅是我们的执著，它们并非真实存在之物。只要你放下一切执著，放下一切期待，它们就不能让你受伤，也不能让你感到恐惧。世上本没啥可怕的东西，也没啥东西故意要伤害你，所有坏事和好事，都是一种人为的定位。这种定位，也是因人而异的，因人而异的原因就在于每个人的角度、想法和期待都不一样。当你明白这一点的时候，甚至不需要对治习气。为啥？有个网友曾问我，如何降服嫉妒心？我告诉他，别降伏了，你用它当精进之力不是更好吗？心大则诸法皆营养，心小则举世皆绊索。何不放大心量，将世界揽入怀中？实际上，对待你心中所有的污垢都可如此。安住于真心，将那习气化为道用。如何安住？如何化习气为道用？这就是你的根本上师才能解答你的问题。不同的传承有不同的方法，这需要你首先选择一个好的上师。他自然会教给你不同的方法。在香巴噶举中，对于没有机缘灌顶的人，开许他先以念诵“奶格玛千诺”作为基本的修持方法，有兴趣者可以一试。

当然，改变自己，并不是为了迎合这个世界，不是为了被动且无奈地接受命运赋予我们的一切，而是为了让我们自己更加清醒、不带任何偏见地看待这个世界，进而拥有一种真正的“主体性”——真正地成为一个心灵自主的人。只有心灵自主的人，才不是世界的奴隶，才不是概念的奴隶，才不是欲望和无知的奴隶，才不会自以为自由地被世上一切所奴役。当你的心灵能够自主时，就自然会看到生命中无数的可能性，并且知道如何在这些可能性中，选择对你人生目标最有帮助的那一种。这时候，你才有可能以一种高贵、自在的态度，来面对你的人生，知道什么时候应该随顺，什么时候又该拒绝。

洞察这个世界的真相，不被现象所迷惑，就是我常说的“明白”。想要活得明白，首先要有正确的见地，然后还要脚踏实地地去实践。见地和实践，都相当重要。大手印讲究的是“见即解脱”，可见，当你拥有一种大手印见地的时候，便已实现了解脱。但这“拥有”，指的是真正的拥有，而非惊鸿一瞥，或是昙花一现。换句话说，你必须把这见地变成一种生命状态、一种生活态度，才谈得上“拥有”。这意味着，你必须在所有的生命时空当中，都能够以大手印的见地来观照你的人生，观照你的待人处事。同时，你也不能执著于那大手印见地，把它当成一种类似于行为规范似的东西。我的意思是，在某个阶段，你应该这样做，应该执著于它，但是当它渐渐变成你生命中一种不可磨灭的存在时，你就要把这个概念也破除掉，破除对它的执著，明白它就是你的呼吸，是你生命中本有的一种东西，你本就是与它密不可分的，那么也就谈不上什么你我之别。

13.
寻找意义

有人问我，你曾在《光明大手印：实修心髓》一书中提到过一句话：“那种体验，直接反映在我的行为和生活方式上，从而赋予了它真正的意义。”那“真正的意义”，是什么意义呢？我对他说，每个人的意义不同，你的感悟便是你的意义，你又何必问我？每个人的意义是每个人活的理由，各有因缘，并不类同。

我举个例子，假如一个人活着的意义就是买房，那么他就会费尽心思地赚钱买房，即使每个月都必须偿还几千元的欠款，即使他要为之放弃梦想和许多享受，即使他每天都要为保住那份工作而心惊胆战，他也会义无反顾地做出选择；假如一个人活着的意义就是传宗接代，那么他就会选择一个愿意为他生孩子的女人，甚至会为此放弃那个与自己真心相爱，但却不能生育的女人；假如一个人活着的意义就是为了照亮世界，那么他就会将生命中所有的热情都用于升华自己，照亮世界，他不会太多地考虑自己的得失，甚至愿意为此牺牲爱情，牺牲享受，牺牲所有妨碍他去照亮世界的东西……就是说，无论这理由，在别人看来是否合理，那都是他活着的理由。当我们找到了自己活着的理由时，就会为了这个理由而活，为了这个理由而放弃所有与之无关的东西。正因为如此，这个意义不可能由别人赋予我们，而必须由我们自己去寻找。别人告诉你的，仅仅是建议，是知识，是别人自己的选择，你永远都无法为了别人的选择，而心甘情愿地牺牲自己生命当中的好多东西；只有你为自己设定的意义，才能对你的心灵产生一种根本的影响，在你所有的生命时空当中，推动着你不断向着这个意义走去，你的命运才会随之改变。

不过，虽然这个意义必须由你自己去寻找，但它最好是一种岁月毁不去的东西，佛家称之为“功德”。为什么我经常强调，要在有限的生命当中，留下一种岁月毁不去的东西呢？因为世上一切都是因缘和合之物，它们都逃不过“成住坏空”，假如我们将活着的意义建立在这种虚幻不实的东西之上，我们岂不是很容易就会失去活着的意义？比如说，你用一辈子的心血和牺牲换来一栋楼房，结果遇上了地震，瞬息间，你活着的意义便消失了，那你接下去该为啥而活？再者，我们的呼吸一旦停止，那楼房便已跟我们毫无关系，它又该变成谁的意义？

左宗棠晚年退休后，想为子孙留下一院上好的房子。他买了上好的木料，却又怕工匠们会偷换，于是每天去监督。一位年老的木匠冷笑道，左大人，我建了一辈子房子，没见过房子倒的，却老是见那房子换了主人。是的，至今，左宗棠建的房子不知道归在谁的名下了。人们记得的，倒是他收复了新疆这一行为。当然，左宗棠对我们民族的巨大贡献，也已经升华为一种精神。

所以，一般的世俗梦想，是容易让人感到失落的。为什么呢？好多人想要得到一些世俗的成就，比如说创立属于自己的公司、环球旅游、获得某个国际大奖等，但即便实现了这些梦想，又能如何？接踵而来的，将是深深的失落。因为，当你实现了一种世俗梦想的时候，获得的仅仅是一种短暂的满足感，这种满足感消散的时候，你的生活就会重新进入一种毫无目标的状态，这显然不符合我们对梦想的定位，其中的落差会让人发现，他们花费大量生命时光去寻觅的，仅仅是肥皂泡一样的幻影，没有任何真正的意义，并不是他们真正想要的东西，这时候他们的内心就会产生一种巨大的失落。我们真正寻找的梦想，应该是一种什么样的东西呢？它应该是一种能让人快乐的东西——首先要让自己获得快乐，同时又能带给别人快乐，这就是我们的梦想。不过，我们想要的，并不是一种无常的快感，并不是一种短暂的满足，而是一种能让我们快乐生活、能赋予生活以某种意义的东西，正是这种东西，让我们不再像行尸走肉般地活着，不再动物般地活着。这意味着，我们的梦想，不能寄托于一些因缘和合之物，我们需要的是一种更永恒的东西。我在年轻的时候，花了大量的时间思考这个问题，寻找这个答案，后来我从佛家故事中找到了它——那便是精神，一种寄托了人类向往的、比人的肉体更伟大的精神，一种慈悲利众的精神。当你赋予自己的梦想一种利众精神的时候，你的梦想本身，就具有了一种鲜活的生命力和无穷的活力，对它的追求本身，就能让你变得更加快乐，更加明白。因为，在追求一种利众理想的时候，你的心灵将会变得越来越博大，慢慢地也会拥有一种无我的智慧。

有多少人敢于问问自己：为了那些不可能永远属于自己的东西，白白地活上一辈子，我难道不会留下遗憾吗？当我的存在就像粉笔字一样，从世界的大黑板上被无情地抹掉，我真的能甘心吗？还没有活明白，就死了，也不知为啥活了一辈子，我难道不会后悔吗？而真正幸运的人，就是那些敢于发问，并且明确地知道“我不想这样活着”的人。

有个学生对我描述过她的一个梦境，她在梦中有了一种临终体验，她说自己死活想不起这辈子还有啥心愿未了，也觉得既然走到了生命的尽头，有啥心愿，都得放下，但她突然想起一些同事。想起这些同事的时候，她觉得非常凄凉，因为她知道，这些人很快就会把她给忘掉。我们的生命中会出现很多人，不同角色的人，其中有亲人、有爱人、有朋友、有同事、有擦肩而过的陌生人。一旦我们死了，能够一直怀念着自己的，往往只有亲人、爱人，或许还有一些非常好的朋友。但时间一长，他们也会慢慢忘记与我们有关的事情，仅仅记得我们的存在。有一天，他们也死去了，这个世界上便没有了我们存在的证据。

所以，我曾经这样回答一个学生的提问：“你要看自己能不能留下一些岁月毁不去的东西，假如能，你便找到了意义。”就是说，一个人活着的意义，正是为了实现生命真正的价值，如果你能实现这样的一种价值，那么你的活就有了一种真正的意义。

14.
路要自己走

我曾经写过一篇文章，其中将真正认可香巴噶举利众文化的人，归纳为“新香巴人”。许多人在听到这个称呼的时候，就很想知道，新香巴人的“新”体现在什么地方，什么样的人才属于新香巴人呢?

在一次网络访谈中，我专门谈到过这个问题。我说，新香巴人是个文化概念，不是宗教概念。香巴者，香巴噶举、香格里拉、香巴拉等之简称也。新香巴人是追求真理和信仰者的一种统称。香巴是一种象征。象征什么呢？它象征利众、清凉、明白、团结等诸多积极的东西。在藏地，巴是“地方”之意。香巴者，清凉芳香的所在也，与那些臭浊之地相对。新香巴人，便是信仰香巴噶举的利众精神，同时也愿意用行为去贡献社会的一些文化志愿者。他们的“新”，在于用一种新的理念来诠释传统文化，以扭转时下流行的一些宗教恶习。我这里说的传统文化，主要指香巴噶举的大手印文化。它的特点，是重实证，也明教理。那明理，不是长篇大论的思辨说理，它为的是指导心灵和行为。其中，既有当下关怀，以唐东喇嘛为代表；又有终极超越，以奶格玛为代表；三是包容万法，以琼波浪觉为代表；四为文化构建，以新香巴人为代表。它提倡关注眼前的人，帮助身边的人，做好身边的事，用实际行为来实践利众精神，实现“当下关怀”；我说的“终极超越”，就是破除所有的执著，超越所有的二元对立，达到一种大悲悯、大胸怀、大境界；“包容万法”，便是学习琼波浪觉的精神——他曾多次前往印度，拜了一百五十多位成就者为师，从他所能接触到的所有的优秀文化中汲取营养，进而做到与时俱进；文化构建，即是以文化传播的方式，让香巴噶举走出历史的尘封，与时俱进，成为当代人的灵魂滋养，比如我的小说体系、大手印文化体系等。后二者，是新香巴人区别于以往旧香巴教派的最大特征。

“雪漠禅坛”开坛以来，为了回答一些人的发问，笔者曾写过一首偈子：“雪漠禅如何？离相重精神。文化为载体，贯通古与今。随缘得自在，安住光明心。妙用大手印，行为利众生。”这几句，也形象地诠释了什么是新香巴人。

香巴噶举非常重视实际行为，没有行为，就没有文化。所以，我总是说，新香巴人的主要功课是先做个好人，好，更好，同时帮助身边的人。永远都要记住，修行的目的便是自己离苦得乐，帮别人也离苦得乐，就这么两个东西。只有前者而没有后者的修行，虽然能愉悦自己，但产生不了真正的意义。藏戏鼻祖、香巴噶举的唐东嘉波喇嘛曾经作过一首道歌，专门批评那些躲在山洞里独自享受禅修之乐，却不理会众生疾苦的修行者。我在一次“雪漠禅坛”的讲座中也谈到，假如一个人有很高的境界，但是他不将自己的智慧传播出去，照亮别人的心灵，仅仅是自己没事偷着乐，那么他的境界就毫无意义，他的思想也毫无意义。当他离开这个世界的时候，就像一个水泡破灭了一样，跟一个普普通通的糟老头也没啥区别，因为他啥都留不下。所以，虽然好多人都说龙树菩萨只是登地菩萨，境界并不是很高，但他事实上远比一些境界很高却没有半点利众行为的人更伟大，因为他留下了许多非常伟大的著作，影响了后世千千万万的人。

有人问我，对新香巴人都有什么样的期望和要求？我告诉他们，别说空话，多做实事。一点实事，胜过万千空话。实际上，在我们做那实事的过程当中，也并不只是在帮助他人，我们帮助的首先就是我们自己。为什么这么说？因为做事的过程，就是在将座上修来的定力与智慧，运用到日常生活当中，考验那到底是智慧，还是一种与生命无关的知识。所以我一直强调，做事是最好的修行。而且，做事的过程，也是一种用大善的信息不断熏染心灵的过程。我说过，一块田地里种上庄稼之后，杂草就无处落脚了。同样道理，当我们把大善与大爱种入心中的时候，心里的“恶”就会越来越少。

修行最初的阶段，从某个角度上来说，就是善与恶的一种交锋，这种交锋往往能牵扯出一种灵魂剥离般的痛。我在小说《西夏的苍狼》中描述过一个古代灵魂的私语，那灵魂爱上了一个相信她存在的人，所以不愿意被超度，不愿意升华自己的生命价值，宁可依附于另一个世间女子的躯体，来与这人相爱，她一直在想爱但不能爱的痛苦中挣扎，也一直在向往与欲望之间挣扎，最后，她在无数次的挣扎当中，终于实现了一种爱的超越，在那超越中升华了自己的存在。我的一个学生非常喜欢这段内容，她说她读了很多次，而且还不断摘抄，甚至用它来对照自己在日常生活当中的一些抉择。其原因，就在于她认为这段内容不但写出了一个古代灵魂的挣扎，也写出了我们每个人在面对诱惑时的一种灵魂挣扎。

当我们一次又一次地用善念来熏染心灵，让大善与大爱占据心灵最重要的位置时，我们的人格就会越来越完善，我们的生命价值会随之不断升华，我们的心灵也会变得越来越博大，本有智慧的光明就会慢慢地显发。当我们能够用一种智慧的光明观照人生时，就会远离一切的分别、执著与烦恼；当这种智慧的观照，变成一种呼吸般的本能时，我们的生命当中，就不会再有任何的分别、执著与烦恼，而仅仅是在生命的每一分每一秒里，品味那灵魂的清凉，享受不执著于结果但尽力去做事的那份快乐。新香巴人的所有实践与修行，便是为了追求这种快乐，验证这种快乐，传播这种快乐。当你也认可香巴噶举的这种利众精神，并且认可香巴噶举文化，愿意以行为来实践它的时候，你便是新香巴人。

二、在与家人、伴侣的相处中调心

1.

在与家人的相处中成长

我一直都认为，修行，首先就要做一个好人，如果连一个人都做不好的时候，就根本谈不上成佛。做一个好人，首先就应该尽量做好一个人的本分，比如说，面对父母的时候要做一个好儿子，面对妻子的时候要做一个好丈夫，面对儿女的时候要做一个好父亲。如果你做不好这些的时候，就不可能成为一个真正的好人，更不能成为一个真正的修行人。所以我常说，如果一个人连自己都不能容忍，连身边人都不能容忍，他就肯定没有修好，更不可能拥有一种真正博大的胸怀。

我在谈到我的妻子鲁新云的时候，常说她是我生命中最美的收获。事实确实如此。在这个世界上，我遇到过好多人，其中也有许多优秀的、无私帮助过我的人，这些人中间，我妻子属于非常典型的一个。她在所有生命时空当中，做的事情都是为了让我健康、快乐，她没有她自己。有一次我这样说她，她是一个自己站在火中，还会担心别人被开水杯烫伤了手的人。这种人不多。在这个世界上，当一个人得到了这样的人时，一定要珍惜他，无论他有什么样的身份都不要紧。因为，这样的人，是世界上最值得珍惜的人，这种朋友也是世界上最值得珍惜的朋友。

一天，有位朋友来看我，当我说我妻子非常完美的时候，她指着我桌上的灰尘说："要是我老公的话，肯定会骂我为啥没擦干净桌子。"我说："这不正好说明了她的完美吗？我的桌子上这么多灰尘，她都没有骂我。"她笑了，说我很有意思，说她无论如何操劳，她的老公却总是能挑出好多毛病。我告诉她，在我的生活中，我看不到妻子的毛病。我看到的是什么呢？是她的付出。比如说，中年之前，我需要闭关修炼，她便默默地等了我好多年；她虽然喜欢清静的生活，但当我决定开设"雪漠禅坛"，花了大量时间与外界交流的时候，她仍然尊重我的决定；

她是个有着大智慧的女人，但她选择不工作，在家里照顾我，当我的营养师，帮我整理资料，帮我教育孩子……她为我做出了很大的牺牲，她的全部世界就是这个家，但她不认为这是什么付出和牺牲。她是我生命中最得力的助手。当你的关注点放在这种地方的时候，你是看不见家人身上的毛病的，你总是会非常感恩，感谢他们为你付出的那些东西，你会懂得珍惜他们。你要明白，他们可以这样做，也可以选择另外一种做法，但他们最终还是选择包容、尊重、支持你的决定。如果得到这样的家人，就是人生中最美的收获。除了这些东西之外，世界上的一切都可以忽略不计。因为人生中最难得的是真情，别的一切都是过眼云烟。要知道，真情是无价的。

许多时候，当我们学会感恩的时候，我们就会发现，身边的人，其实都是很完美的。当我们总是发现别人的毛病的时候，其实是自己的心不清净。

要知道，只要是没有超凡入圣的人，身上都会有有待于完善的地方，也包括许多信佛的人。信佛的人并不是成佛之人，大家都会有不完美，只要有自省、有向往，我们就会一天天远离烦恼，走向清净。所以，你不但要接受自己身上各种不完美，也要学会宽容别人。在这一点上，我的妻子很有意思。她是一个非常本真、质朴的人，她经常像训小学生那样训我。比如，我喜欢蓄胡子、留长发，她就会说："光头难道就当不了作家？"她还保留着老家的一亩几分地，经常警告我："写不好东西，就回家当农民！"当初我上完鲁迅文学院回家后，有两年时间，只是坐禅，不写东西，她硬把我从关房中拽出来，对我说："佛要是没有留下佛经，还算是佛吗？"这样我才又写出了好多值得一读的东西。但是，她跟别人不一样，她对我所有的训，都不是出于计较与埋怨，而完全是出于好意，出于对我的督促。从某种意义上来说，她确实成就了今天的我。

我也非常珍惜她的心意与她的付出，所以，除了闭关，只要有时间，我总是尽量多陪陪她。去罗马尼亚参加世界文学论坛的时候，我舍不得给自己买东西，却给她买了近千块一瓶的法国香水。妻子很节俭，舍不得上街吃饭，我就劝她："你别舍不得吃，你那香水，只嗞——一下，就是几顿饭。"好多人都问我，你每天将大量时间用在闭关、读书和写作上，爱人和孩子会有怨言吗？其实，对于我的这种生活方式，她从来没有任何怨言。因为她选择了我，就意味着选择了这样的一种生存方式。而且，我写作时，她也读书和修行，她不会浪费时间，更不会干扰我。她也很忙，她要研究营养学，她也念经修行。她还要考虑如何让家人更健康。她也有她的世界。

我为什么要说这些话呢？因为我想要告诉你，一个人在追求梦想的时候，同样不能忘记自己的家人。你应该以自己所有的行为与态度，来表达这份梦想对你的重要性，然后请求家人尊重、支持你的决定。你要在坚守信仰的同时，尽量与家人保持一种很好的沟通。当他们能够理解你、尊重你、支持你的时候，你就要好好地珍惜他们为你做的一切；当他们不能理解你，甚至反对、阻碍你去追求梦想的时候，你仍然要理解他们，包容他们，并且以正确的行为证明自己的追求并没有错，但不要埋怨他们，更不要记恨他们。在你非常真诚的努力之下，有一天，他们总会理解你的。但是，不管他们能理解也罢，不能理解也罢，你都要明白，他们在以自己的方式爱你，也许这种方式不对，但至少行为背后的那份爱是真诚的，你要学会欣赏这个东西，学会感恩，也要学会放下对他们的期待。你不要老是希望家人咋样。许多时候，你的心一变，你眼中的世界也就变了。

坚持你该坚持的，包容你该包容的，感恩你该感恩的——包括他们对你的不支持——因为你要明白，即使是不支持，同样在滋养着你的心，让你的心一天天壮大，让你一天天进步，有一天你就会在生活中做到一种完完全全的自主。就像我在网络访谈上回答一个网友提问时所说的：“当你宽容和感激你的逆行菩萨时，你就进步了。”

我将所有反对、为难、刁难、污辱甚至迫害自己的人，都称为逆行菩萨。我们想一想，要是没有汉武帝这个逆行菩萨的宫刑，也许就没有《史记》。他只要将司马迁重用为宰相，《史记》就只是司马迁脑中的一个遗憾而已。

所以，究竟地看来，那些增长世俗欲望的助缘，反而可能是最大的厄运。那些世人眼中的厄运，其实是最大的助缘。

2.

给自己和孩子一份正确的爱

好多父母在面对孩子的时候，总是习惯于把他们当成自己的附属品。大多数父母总是认为，自己把孩子带到这个世界上，就有了控制他们的权利。所以他们从孩子刚出生的时候，就为对方设计了一条自己想象当中的“康庄大道”，还把这种“设计”叫作“爱”。他们不知道，自己无意中扼杀了孩子的自由，把自己的好多欲望都加诸孩子身上，包括一些梦想。他们用“爱”的名义，把天真的孩子变成了一种工具。

比如，父母想当钢琴家，但他们没机会成功的时候，就让年幼的孩子去上钢琴班；当他们想当官而不得时，就教育孩子好好读书，希望将来“学而优则仕”；自己成不了富翁，就希望孩子成为比尔·盖茨。还有很多类似的家长，为了实现自己的梦想，总是为孩子报了各种各样的班，让孩子在幼年就成了学习的奴隶。

我的意思不是说那些东西不好，也不是说它们没有意义，但它们未必是孩子真正喜欢的东西。孩子们也许更喜欢在大自然里玩耍，也许更喜欢跟小朋友们一起在草地上奔跑，也许更喜欢看书、写字、学书法等。可是一旦你为他们设计了一种人生的时候，就在无形中剥夺了他们自由选择的权利。

那么，父母在孩子成长的过程中，应该扮演一种什么样的角色呢？父母应该是孩子生命中的第一个导师。但是，这并不意味着他们应该把自己的经验和标准强加给孩子，而是说，他们应该教会孩子们如何去思考，如何去选择，如何做一个人格高尚的人。

我一直非常重视对儿子人格的培养，我教他一定要在人格上成为一个大写的“人”。在这个前提下，我尊重陈亦新的所有选择。我从来没有因为他考试成绩不好而打骂过他。但我告诉他，他的一生里，必须要为他自己的选择负责。

比如，无论陈亦新上小学、上初中、上高中时，都不写家庭作业。他的理由是那些作业布置得不合理，是浪费生命，他说他要读书。只要他提议，我就会给老师写信，叫他们给我的儿子搞个特殊，别布置家庭作业。对孩子的减负，我从很早就开始了。所以，当好多孩子都将大量的生命时间花在做作业上面的时候，我的儿子却读了许许多多的好书，在与那些大师们“交谈”的过程中，他完成了许多同龄人，甚至比他年长许多的人都没能完成的东西，包括知识的积累、智慧的增长，以及对人生的好多深刻思考。

他从很小的时候，就表现出一种对写作的热爱，所以我给了他一些文学上的指导。我最注重训练他的想象力，从他四年级开始，我就对他进行了系统、严格的想象力训练，训练他无论写人和叙事，都一定要从灵魂里流淌出来，也即投入一种生命的真诚。

陈亦新读高中的时候，就开始写一部长篇小说。每天早上，他三点起床，写到六点再去上学。他写的东西很有意思，是以一种大寓言的形式，写人类在追求永恒的过程中可能面临的许多困境。对他的这个选择，我同样尊重。我不苛求他考个多么好的大学，我只希望他成为一个高尚的人，成为一个对社会有用的人。因为，每个人的生命和自由，都属于他自己，有时的干预，可能会伤害孩子。

就目前来看，我对陈亦新的教育是成功的。因为他的写作水平和思想境界，确实超越了很多作家。今后，我仍然会尊重他的选择。他的选择造就了他的命运，他的行为构成了他的人生价值。他是他自己的，我不想“侵略”

他。我的所有行为，仅仅是为他的灵魂和生命提供充足的养分，但我不想当他的枷锁和镣铐。

当然，好多父母之所以要控制自己的孩子，都是因为他们担心孩子会输在起跑线上，会被将来的社会所淘汰。但所谓起跑线是一种什么样的东西呢？它是一种人为的概念。真正的起跑线，其实在每个人的心里。当我们为自己设定了一个人生的大目标，并且开始以实际行动走向它的时候，我们才真正站在了起跑线上。而我们竞争的对象，不是别人，正是我们自己。修行也罢，工作也罢，生活也罢，你永远都是在战胜自己，战胜自己的贪嗔痴，战胜所有妨碍你实现梦想的东西。社会规定的那条起跑线，仅仅是一种欲望的产物，是非常虚幻的。只有你在乎它的时候，它才能对你产生影响。比如，几何成绩的高低从来都不会让一个人无法明白、伟大地活着，那为什么你的孩子几何成绩不好的时候，你却会产生巨大的烦恼呢？仅仅是因为你在乎它。

我举个例子，我儿子没有像好多孩子那样考一所好大学，但是他仍然非常优秀，比很多名牌大学毕业的孩子都要优秀许多。所有见过他的人，作家也罢，朋友也罢，家长也罢，都对他赞叹有加，首先就是因为他非常善良，而且人格非常健全，是个自信且忠于心灵、忠于梦想的年轻人。他的思想境界也远远超过了许多作家。他做出许多必要取舍的时候，完全没有好多人那种扭扭捏捏和犹豫不决。比如说，他在家乡办了一所文学院，教孩子们写作，但是他发现这牵扯了他大量的生命时间，让他无法成为一个伟大的作家；而只有成为一个伟大的作家，他智慧的活水才能真正利益更多的人。明白这一点的时候，他就干脆地放弃了自己在家乡的事业，把收到的所有学费都退还给学生家长，然后毅然决然地来到樟木头，放下一切，专心写作。要知道，陈亦新放弃的，是每年几十万的收入和在当地家喻户晓的口碑。我告诉他，你要明白，你这辈子，是来干啥的？明白这一点之后，你就需要及时地做出一种选择。没有选择，便不会有成功和梦想。

在做出这个选择的时候，别把世俗的标准加诸自己的心上，给自己造成一种毫无意义的心理负担，而是跟随自己的直观智慧，做出最有利于实现梦想的决定。

如果你也能拥有一颗强大自主的心灵，不去在乎这个世界上许多流行的规则时，它们就不能主宰你的命运。能够主宰命运的是一些什么样的东西呢？是你的心灵，然后是体现你心灵的行为。当你有了一颗强大的心灵，并且将你的心灵与智慧都付诸实践，一步又一步地向你的梦想走去时，只要你有足够的生命长度，你的梦想就一定会实现。

所以说，当你明白这一点的时候，不但要尊重自己灵魂的自由，也要尊重孩子那种灵魂的自由。你要明白，不管是你自己，还是你的孩子，只要以一种借事调心的态度来面对这个世界，世界上的一切就都是你的营养，而非束缚，它们都会帮助你成长。所以，要克服对未知的恐惧，别理那些没有发生的东西，安住于当下，竭尽全力做好当下该做的事情，但不要执著于结果，管好你的心，你的生命中就不会有任何问题。

3.
让孩子保有一份纯真与美丽

我经常强调，一个人在活着的时候，必须有自己的坚持，也就是梦想——当然，这个梦想最好是向善的——假如你没有梦想，没有盼头，身心都随外部环境而浮沉的话，你就很容易被环境所同化，生活得非常庸碌。这比啥都可怕，因为一旦你被庸碌腌透了之后，你的心灵也许就已经死亡了。心灵死亡，但肉体仍然存活的人，是非常可悲的。当然，如果那心灵死亡之人，突然发现自己的心灵已经死亡了，因而产生了一种悲哀和不甘的情绪，那么他的心灵也就开始复活了。知道自己心死的人，其实心灵便没有死亡。

什么叫“心灵的死亡”？感受不到爱，更不能爱别人，变得利己自私，终而害人害己，这就是心灵的死亡。所谓的“行尸走肉”，指的便是一些虽然活着，但心却已死了的人。为什么他的心灵会死掉呢？因为他吸收了太多的精神毒药，这些毒药不断在污染和伤害着他的心灵，让他不再相信真善美，进而不再向往真善美，最终在生命中背离了真善美。背离真善美的人，或许看起来是利己的，但实际上，他得到的却是恐惧、不安、猜忌、罪恶，这都是一些负面的东西，是心灵的负担。无论他同时也得到了多少地位、金钱和虚荣的满足，都弥补不了他心灵所受到的伤害。因为，人类的天性，便是追求真善美的，当我们还是孩子的时候，便向往美丽的童话，向往这个世界上非常伟大的一种大善和大爱的精神。可是大人们却用自己错误的观点和行为，打碎了孩子们的纯真与他们的梦想。这是非常可悲的事情。

我在网上看过一个十三岁女孩在联合国大会上的发言，那孩子说得非常好，她对在场的所有大人们说：“我们自己赚钱来到这里，旅行五千英里，只为告诉你们这些成年人，你们要改变自己的生活方式。今天我来到这里，我背后没有任何经纪人，我正在为我们的未来而战。失去未来，不像失去选举或者股市浮动那么简单。……我一生的梦想就是看到成群的野生动物，丛林和雨林中到处是鸟类和蝴蝶飞舞。但是现在我想知道，我们的孩子是否还能看到它们。在我们这个年龄的时候，你们需要担心我担心的事情吗？……在这里，你们可能是政府商业人士代表、组织者、记者或者政客，但你们也是父母、兄弟、姐妹、阿姨和叔叔。你们都身为人子过。我只是一个孩子，但是我知道，我们都是一个大家庭的一员，超过五十亿人的大家庭，超过三千万物种的大家庭，政府和国界无法改变这一事实。我只是一个孩子，但我知道，我们在地球母亲的怀中都是孩子，我们应该为了相同的目的进行相同的行动。……在巴西，我们被两天前见到的东西震惊了。当时我们在和一些当地街道的小孩玩，这是其中一个孩子说的：‘我希望我能富裕起来，我会给这个街道上所有的孩子吃的、衣服、医疗、住房和爱。’如果一个一无所有的孩子都愿意分享，为什么拥有一切的我们却那么贪婪？……我也有可能出生在贫民窟，我也有可能是一个饿着肚子的孩子，也有可能是中东战争的牺牲品或者印度的小乞丐。我只是一个孩子，但我知道，要是把花在战争上面的钱，花在寻找环境问题上面，或者结束贫穷和找到解决方案上来，那么地球将是多么美好的地方啊！在学校，或者幼儿园，你们教我们如何处世，你们告诉我们不要打架，要尊重对方，找出答案，解决问题，不要去伤害其他的生命，去分享，而不是贪婪。但是为什么你们这些大人却总是做与之相反的事呢？不要忘记你们为何来这里开会，你们为谁做事。我们是你们的孩子，你们正在决定我们在什么样的环境下生长。父母需要能够宽慰孩子们，告诉他们‘一切都会好起来的’‘那不是世界末日’‘我们正在尽我们所能’，但是我认为你们不会再那样对我们说了，孩子们还是你们的优选名单吗？我爸爸总是说：‘你做的事，远远比你说的话更重要，是行为构成了你本身。’但是，你们做的事，总让我在夜晚哭泣。你们成年人说你们爱我们，但我不同意你们所说的，请你们言行一致，知行合一。”

在谈到西部女人的时候，我曾说过，我们西部的小女孩刚开始都很美，像天使一样，长大一点，变成《大漠祭》中的引弟，也很美。再长大一点，就变成了中学生、大学生，也很美，但是再也不能往大里长了。为什么呢？因为，过一段时间，她们就会嫁人，就会面对生存，面对男人，面对这个世界。那时，当她浪漫的幻想跟现实的差距非常大的时候，她就会产生一种失落和痛苦。但是如果失去了所有的幻想，她又会变得更加糟糕，变成街上的老太婆，就更不美了。我为什么这么说呢？因为，一旦一个女人失去了她的梦想，也就是她的向往，被世俗同化，变得功利的时候，她们就失去了个性中非常可爱的东西——质朴与率真。不再率真，不再质朴，充满功利与机心的女人，在我看来，便已不是严格意义上的女人。

联合国大会上演讲的那个孩子，就是一个非常美丽的女孩，原因是她没有被污染。她具有一种博爱的精神，懂得知足、感恩、欣赏他人。她没有宗教名相，但她具有一种真正的宗教精神，她非常可爱。她最可爱的地方，就在于她用一种很大的爱、很美的向往保护了自己的纯真与善良，拒绝了世俗和机心对她的污染与同化，并且还想要用这种爱去照亮他人。她能照亮多少人？这不是最重要的。最重要的是，她为所有的孩子与大人提供了一个非常好的案例。

希望所有孩子都能永远纯真、永远可爱、永远美丽，希望所有的父母都不要打碎孩子们最纯真、最美丽的梦想以及最美好的向往。

4.
生活的取与舍

令好多人非常苦恼的一点是，一个人如何在世间与出世间之间做出取舍，这点又主要体现在如何在家庭生活与修行之间做出取舍。比如，有人曾经问我，佛陀若无最终成就，是否会背负对父不孝、对妻不爱、对子不仁的罪恶感？我告诉他，不会。伟大而正面的发心，不会背负负面的果报。这是一种人生的选择，每个人都有自己的生命轨迹，释迦牟尼佛对亲人和世界最大的贡献都是他自己的选择。我从小就想当作家，所以从很早开始，我就在家庭生活与修行、写作之间做出了选择。即使结婚之后，我也有好多年的时间单独住在外面闭关修行。不过，这只是我的选择，每个人都可以有自己的选择，选择不同，取舍就不同。

好多人感到苦恼的原因，在于他们并不确定自己这辈子是做什么来的。他们想修行，想追求一种灵魂的安宁，但这并不足以构成他们人生的意义。他们的人生当中，还包括了其他的很多东西，比如对家庭的责任等。当然，除了责任之外，其中还有一种情感上的牵绊。因此，他们无法放下好多东西，无法心无旁骛地修行。这也是理所当然的事情。但问题是，当我们选择了一种东西，却又不愿意接受这种选择所造成的负面结果时，我们的心里就必然会产生一种痛苦。古人说，鱼与熊掌不可兼得，有取就必然有舍，想什么都不失去，什么都拥有，是不可能的事情。所以，当你有了某种过分的期待时，就必然会承受失望和失落。

但这并不是说，每个人要想修行，都必须放弃家人，放弃世俗生活中的一切。不是这样的。我常说的“放下，破执”，更多的是一种心灵上的东西，真正的出离，也是心的出离。身在红尘，但心不受其约束与桎梏，这才是真正的出离；相反，身不在红尘，心却仍然流连忘返，那么他就没有做到真正的出离。这就是为什么有的人出家之后又还俗的原因。

有的时候，形式非常重要，但佛法毕竟是顺世的，八万四千法门，为的就是让所有众生都能找到自我救赎之法。“雪漠禅坛”首次线下讲座的内容，就是解析古代印度八十四位成就师的修行故事。其中有许多内容，都能为想要修行，但无法完全脱离世俗生活的现代人，提供一种巨大的启迪。我们会将有关内容编辑为《大师的秘密》出版，有缘者会看到这套书的。

不过，好多时候，修行与家庭生活之间之所以会产生矛盾的原因，也在于我们不能用一种正确的态度和行为，来诠释自己的信仰。

我举个非常简单的例子，假如你在修行的时候，对父母的态度变得非常冷漠，对他们毫不关心，那么他们自然会认为你的信仰不是一个好东西，因为它让你失去了对亲人的爱。反之，假如你的信仰令你更加体谅他们，更加尊重他们，同时也更加自主、更加快乐的时候，他们自然会相信你信仰的正确性，有的时候，他们还会因为你的改变而开始修行。我的学生当中，就有许多这样的例子。

比如，我的一个学生因为学佛而走出了丧夫的剧痛，摆脱了自杀的阴影，甚至改变了命运，找到了人生的意义与价值，变得更加快乐。所以，不但她的母亲由迷信渐渐走入智信，她那位原本非常反感佛家形式的父亲，也开始了修行。我有好多学生，一家人都有了信仰，其原因就在这里。

修行需要出离心，也需要菩提心，如果没有菩提心的话，修行就容易走错方向。我在《西夏咒》中提到过许多没有菩提心的修行者，他们比不修行的人更加愚痴和可怕。而菩提心，就是一种对众生的爱，是一种比小爱更伟大的爱。当你具有这样的一种爱时，又怎么会在社会生活中变得冷漠和麻木不仁呢？假如你觉得自己在修行的过程中，变得对他人的痛苦毫无感觉的话，就一定修错了方向，你首先应该审视自己修行的方向，而不是苛责自己的家人。所以我常说，要先善待家人，然后再谈修行。一个人如果连身边的人都不能宽容的话，就更加谈不上去宽容一些跟你无关的人；如果不能宽容别人，总是在挑别人的毛病的话，你就一定没有在好好修行。所以一定要记住，佛家的光明是用来对治自己的毛病，而不是用来挑剔别人的。

当然，你如果想在有限的生命当中，达到一种非常高的境界，那么你就必须做出必要的取舍。我曾说：“生命如水泡，不知何时灭。奈何惧人言，一生徒空过。”假如不抓紧生命中的分分秒秒，做那自己该做的事情，一旦你的人生突然走到尽头，你就会留下无法弥补的巨大遗憾。许多人也有利众的念想，但是他们把这些事情都放到了几年之后，或许他们几年之后想法就变了，开始渴求更多的物质，或许半年或者更短的时间之后，他们就失去了生命。人生就是这样。你永远都不知道自己还能活多久，生命的无常什么时候会降临到你的头上。

我的一个学生说，她那非常年轻的丈夫在短短的三分钟之内就死去了，此前毫无任何征兆，她从此明白了生命的虚幻。当一个人明白生命的虚幻时，才有大取大舍的勇气。假如你一直认为死亡非常遥远，跟你没有太大的关系，而人生中的一切又都非常实在，你就不可能非常干脆和决绝地，为自己做出一种选择。不过，你必须明白，有的时候，不选择，同样是一种选择。比如说，有的人很想当作家，但他不相信自己可以做到这一点，所以他总是在想，但总也不做，从不为之付出一点点努力，也从没为之放弃过什么东西。看起来他似乎一直没有做出选择，一直都在犹豫，但就在他犹豫的时候，少年变成了青年，青年变成了中年，中年走入了老年，小混混变成了老混混。宝贵的生命时光和所有能够实现梦想的机遇，都消失在岁月的飓风当中。所以说，虽然看起来他一直都没有做出选择，但他实际上已经选择了放弃梦想。

5.

别让孩子变成未来的凶手

好多人都说这个社会非常黑暗，不过好多人在谴责社会的时候，往往忽略了一点，社会是人组成的，有什么样的人，就有什么样的社会，有什么样的文化土壤，就会诞生什么样的社会现象。

比如，媒体报道“砍杀孩子”事件后，许多人都痛骂凶手，但很少有人探寻这些惨剧发生的原因。其实，影响一棵树的成长有众多因素，土壤、种子、环境、阳光、空气等，一个人的成长也是这样。一棵坏的树，不会无缘无故地坏，它存在多种原因，包括土壤有没有问题、有没有发生虫害等因素。人类也是这样。任何人类，他的某种行为，跟文化土壤以及他本身的遗传基因，以及时代所有的文化熏陶都有很大的关系。没有这些东西，一个孩子不会无缘无故地变成凶手。

我在网上发表过一篇文章，里面谈到了令一个孩子变成凶手的原因之一，就是这个时代信仰的普遍丧失。很多人认为自己缺乏了一种东西，缺乏了物质之外心灵上的一种追求，这种追求就是我们所说的信仰。它不仅仅包括我们所说的宗教信仰，还包括艺术信仰，甚至共产主义之类的信仰。所有的信仰，都是对某种比自己更伟大的存在的向往，对一种比自己更伟大而崇高的精神的敬畏，对一种比自己心境更高的境界的向往。当你向往这种东西，并且以实际行为走近它的时候，就构成了信仰。现在恰好不是这样。好多人满足于物质的享受，满足于欲望的膨胀、满足于生存的需要，甚至满足于功利性的虚荣，这样就忽略了对更高的、超越生命本体和生存环境的诸多东西的追求。这种丧失是一种信仰的丧失，信仰的丧失是一种社会问题，它不仅仅是某个人、某个群体、某个民族存在的问题，而且不仅仅是中国的问题，西方国家也是这样。

有一本书，叫《夭折的上帝》，里面就谈到，西方跟中国一样，正在面对信仰丧失的问题。西方已经有好多人不信仰上帝了，信仰的也有，但不信仰的人越来越多。信仰的丧失是一个非常重大的社会问题。一个人如果没有信仰，那么他就是一种动物性的存在。一个动物性的人，不可能有博大的心灵。当他有很多不愉快、不如意，或者说社会对他挤压到一定程度的时候，他就会宣泄这种东西。宣泄的方式过于激烈、力量过大的时候，就会实施犯罪。没有这种能力或胆量的人，可能会把不幸宣泄到其他人身上，比如说打老婆、打孩子等家庭暴力事件都可能是因此产生的。有些家长在殴打孩子的时候，一点也不比凶手弱。这个时代，这种所谓的信仰、所谓的文化、没有任何慈悲心导致的诸多行为，使得许多非常善良的家长都变成了凶手。比如，前一段时间有一个家长，仅仅因为孩子没有做作业，就把他给打死了；另外一个父亲，把孩子按在水里，活活地淹死了他。但是，这个时代并没有多大的声音去谴责这些家长，甚至包括我们自己。而且，究竟有多少家长没有欺负过比自己弱小的孩子？

所以，一些家长也是某种意义上的凶手。我所说的凶手，并不一定要夺取孩子的生命，伤害孩子、污染孩子的人，都是我所说的凶手。比如，好多家长都会强迫孩子去学一些不一定有用，或者孩子不愿意学的东西，把孩子好多游戏、玩耍、阅读的时间都给占用了，然后在他们的生命时空中塞满自己需要的东西，根本不管孩子们是不是真的需要，或者把自己实现不了的梦想都强行寄托到孩子的身上。所以说，大多数家长都在伤害孩子，只是他们自己没有发觉而已。有一天，一个人问我，孩子总是在玩游戏，怎么办？我告诉她，孩子天性就是爱玩的，你应该做的事情，不是限制他的玩，而是给他找一种既好玩，又有意义的东西，让他放开了去玩。当然，这不是家长单方面的错，而是因为整个文化土壤都在告诉他们应该这样去做。所有在这个文化影响下的家长们，都觉得自己没有错，错的是不听话的孩子。因此，这样一种没有信仰、没有慈爱、没有慈悲、缺乏爱心的土壤，就导致社会上出现了许多残忍的凶手。所以说，信仰是非常重要的。

我在“雪漠禅坛”中谈到印度八十四位成就师中一位叫“圣天”的菩萨，他是个心灵非常纯净的人，他非常幸运的一点是找到了一个好上师。他的上师龙树菩萨，是历史上非常伟大的一位哲学家，他的境界不如圣天，但是他教给圣天的是正法。正是这一点，让圣天没有被外界的邪风恶雨所污染，能够葆有他心灵的纯净。好多孩子最初都是圣天菩萨，但是当他们遭遇了一些邪师、恶友之后，就慢慢被污染了，然后融入那种污染了自己的文化土壤，继续污染其他仍然纯净的孩子，使越来越多的人变成潜在的凶手。

所以说，一定要明白，我们都是昨日的孩子，孩子是我们的明天。我们组成了现在的社会，孩子组成了社会的未来。不要总是认为这个社会上好多丑恶、罪恶的现象，都跟自己没有关系，不要仅仅一味地谴责他人。不要总是看到他人身上的毛病，却不懂得反省自己。我们都必须明白一点，让整个世界滑向黑暗的，是一种充满了黑暗的文化。但是，假如我们自己并不认可这样的一种文化，它就不会主宰绝大部分人的心灵。因此，改变这种文化土壤，也只能从改变我们自己开始。如是故，佛家强调要破除名相，破除一切概念对心灵的束缚，自由的心灵，清醒的心灵，才可能透过现象，洞察事物的本质。一定要明白这一点。

三、在工作与生活中调心

1.

包容不同的观点

这个世界上有许许多多的人，每个人都有不同的成长经历和知识体系，都有各自不同的思维模式与思考逻辑，所以，这个世界上有各种各样的观点，它们形成了一个异常丰富的世界。即便对于同一事物，因为思维模式和关注点的区别，人们也大多会以不同的方式来进行分析或表述。比如说，关于“失眠”，医生会寻找病理上的原因，心理学家会分析心理上的原因，作家更关注失眠的过程中人们内心世界的一切波澜起伏，而普通大众则更加关心如何能睡个好觉。

当我们将各种观点与思路付诸行动的时候，世界就展现出一种缤纷多彩的景象，建筑拔地而起，文化研究院应运而生，火箭飞上太空，汽车在马路上飞驰……所有的一切，都离不开各种各样的观点与念想——人累了想找个坐的地方，就诞生了坐垫、椅子，别的人想坐得更舒服一些，又诞生了沙发；人饿了想填饱肚子，就诞生了馒头，另外一些人想更有营养、更美味一些，就诞生了粤菜、川菜、湘菜等各种切合不同群体口味的菜系；人不再满足于自己独自思考，还想与别人交流，于是诞生了书籍，另外一些人需要更便捷的沟通方式，于是诞生了电话、网络、QQ……所以说，当我们在享受着这个世界上的一切时，就不应该苛责那些与我们观点相异的人。我们都要记住，谁有谁的生命轨迹，太阳就是太阳的轨迹，流星就是流星的轨迹，都有存在的价值，不同的人事物担当着不同的角色，所以才构成了世界的丰富。世界让你长大，让你丰富，让你包容。于是，你才有了一种百川入海般的博大，有了很强的自主性，更有了无数的可能性。当你明白到这一点的时候，就不要用分别心来对待这个世界，不要总是以自己的偏见来判断这个世界上的一切，要让世上一切都成为你的营养，而非束缚。

我举个例子，佛家跟其他的信仰不太一样，因为它是出世间法，以无常无我破执为主，而别的信仰却相信永恒。但是，佛说，一切善法，皆是佛法。在佛的眼中，耶稣也很好，真主、上帝等，都非常好，因为他们都在倡导一种善的东西。佛家重视的是慈悲利众的精神，而不是装着慈悲利众精神的那个容器。所以，当一个朋友问我，该不该看克里希那穆提的书时，我告诉他，他的东西也很好，因为他反对制度化，但不反对真精神，你可汲取其精华，向往并实践那真精神。

当然，包容不同的观点，尊重不同的观点，不代表我们不应该表达自己的观点，尤其在世界需要你的观点时，你更不应该沉默。例如，应该抨击罪恶的时候，我从来都是“扯着喉咙”高喊的，因为当一种文化无法给全人类、全世界带来幸福，甚至会将整个人类引向灭亡的时候，世界就需要每一个心明眼亮的人站出来表态。不但表态，还要用他最大的声音，尽量喊得让整个世界都能听见。为什么要这样做？因为罪恶源于无知。比如，当一个孩子不知道拿刀捅别人，对方会痛，甚至会死去的时候，他就会拿着刀四处乱捅，但是当他知道这样做不对的时候，他就很可能会收敛自己的行为，为自己设定一种“戒”。同样道理，当我们不知道自己的行为是一种罪恶，会给人类带来一种非常不好的影响时，我们的心里就没有相应的

“戒”，只有当我们听到了世界上的另一种声音，它告诉我们，这样的行为是不对的，是罪恶的，我们才会恍然大悟，进而改变自己的行为。因此，在宣扬善文化的时候，我也是不遗余力的。我总是把握一切机会，不管在小说、讲座和访谈中，还是别的什么地方，我都尽可能多地宣扬和传播一些真善美的东西。因为这些真善美的文化，同样会给所有人提供一种他们或许不知道的可能性。有的时候，我们的不快乐、不明白、不善良、不自在，仅仅是因为我们不知道这个世界上还有另外一种可能性。

不过你也要记住，发声是你的表态，但是你不能过于计较那结果，更不能强迫别人接受你。佛说随缘度众，就是说，你有度众的美好誓愿当然最好，但同样要随缘。要知道，世上一切都离不开“缘起性空”的真理：救赎自己和救度众生都是缘起；有救的行为，但不要执著于“救”，明白这“救”本身也是无常的，不可能永恒，这便是性空。

当然，有时候，虽然我们怀着美好的祝福，但若是因缘不顺，时机不对，我们也允许选择沉默。比如，曾有网友问我，修净土的老太太说阿弥陀佛是一切佛的王，他认为这个说法不是很妥当，那么他应该说出自己的看法，还是保持沉默？我回答他，保持沉默并祝福别人。我们要允许不同的人有不同的王。对于某些女孩来说，她的爱人就是她的王，我们也同样随喜她。有个王总比没个王好。就怕她连她自己也不信了。这世上，有了敬畏，就可能会有种向往。等到连上帝都死了的时候，世界也就没救了。我的意思是，每个人在不同的阶段，都有不同的观点，不同的想法。我们没必要强求每个人都跟自己的观点一致，假如我们这样去要求别人的话，就跟精神操控者没什么两样——即使我们倡导的是一种非常美好的东西。

那么，我们在表态之后，又该如何对待我们表态的对象呢？如果他追求的东西能让他得到快乐，那么就随喜他；如果他追求的东西不能让他快乐，仍然祝福他；假如他发现自己追求的东西不能给自己带来快乐，希望有所改变，就尽力帮助他。这才是真正的佛教信仰者应该做的事情。

2.
慈心对万物

除了明空智慧之外，大手印还有另外的一个关键词，那就是“无缘大慈，同体大悲”。

“无缘大慈，同体大悲”非单纯的同情心，不是一种在外境的刺激下才会产生的怜悯之情，就是说，它不是一种情绪。它是一种境界，也是一种证量，更是一种生命的超越状态。它是一种没有任何条件的慈悲，不是说你是我的亲人，或者朋友，我就怜悯你，关怀你，而是说你跟我没有任何关系，我仍然怜悯你，关怀你。当一个人达到“无缘大慈，同体大悲”的境界时，便会诸法一味，无有他我，消除二元分别，澄然一片明空。这是一种非常高的境界，佛家称之为“一味瑜伽”。想要达到这种境界，你必须明心见性。因为明心见性才可入道，开始真正的修行。在真正修行的过程中，你安住于真心，既修智慧，也修慈悲，换句话来说，你要“悲智双运”，才可证得真正的“无缘大慈，同体大悲”。阿罗汉已经明心见性，但他还是没能证得这种境界，就是因为他发心的大小，局限了他的境界。为什么呢？因为他发心的时候，并没想要利益众生，他只希望自己能脱离轮回苦海，那么他就不会去修慈悲，而仅仅修慧，那么他就无法拥有一种真正的利众精神，这是他与菩萨、佛陀的区别。菩萨、佛陀不仅希望自己能解脱，还希望用自己证得的光明，照亮别人，让别人也能解脱，也能拥有一种无条件的快乐。

所以我们说，你在明心见性之后，既要安住于真心，还要多布施，多在行为上帮助别人。不管是财施，还是法布施，或者其他的什么布施，都非常好。因为这一切都增长着你心中的爱与善念，让你变得一天比一天更加慈悲。当你先将这份爱波及你身边的人，再一点点将它扩散出去的时候，你就会发现，所有的分别心都在一点点消散，你的烦恼与执著也渐渐地消失了踪影，你的明空会一天比一天更加牢固。从这个角度上来说，你甚至要关怀那些你看不顺眼的人，关怀那些有很多毛病的人，以及那些曾经害过你，现在仍然想要害你的人。能自然而然地做到这一点，而不是刻意地去做，才是真正的“无缘大慈，同体大悲”。达到这种境界的时候，你会发现，没有人能令你愤怒、嫉妒、恨，也没有人能令你贪婪、无知、堕落，你的心里充满了坦然、快乐、逍遥。如是故，我常说“慈悲是无上的铠甲”。

我也常说，这个世界上只有两种人不会犯错，一种是死人，一种是佛。既然一个人还没能超凡入圣，而且他也还活在这个世界上，那么他很难避免犯错。对于我们自己来说，也是如此。如果你看不见自己眼里的梁木，只看得见别人身上的刺，那么你永远都不会得到解脱。为什么呢？因为你不懂得自省，不懂得忏悔，让贪婪与嗔恨占据了你的心。不要这样。一切有毛病的人，都只是不懂事的孩子，甚至是生了病的孩子，你总是非常怜悯那些病人，所以你也要理解那些身不由己的孩子，怜悯那些犯了错，甚至伤害你利益的孩子。你要学会用一颗母亲的心，去面对世界上一切的人事物。母亲永远都不会记恨自己的孩子，更不会嫉妒自己的孩子比自己更优秀、活得更好。当一个孩子病得特别重的时候，她还会给他更多的爱。同样道理，你不但要理解那些犯了错的人，还要关怀他们，帮助他们，尽力引导他们走出心灵的深谷，走向光明。

那么，为什么我们又说要远离恶友呢？那些恶友，难道不是生了病的孩子吗？他们当然是生了病的孩子，也需要别人的帮助，但是当你没有足够的智慧时，你对他们的帮助不仅起不了任何作用，还会变成一种无谓的牺牲——因为你很可能会被他们所传染。我举个例子，有人掉进水里，正在呼救，你虽然不会游泳，却仍然跳下水去，想要救他。你的心意确实非常好，但结果将会如何呢？你不仅救不了他，还会跟他一起淹死。同样的，假如你还没有足够的智慧，你的明空也还没稳定的时候，就怀着一颗拯救恶友的心去跟他们混在一起，那么他们的“恶”就会一天一天地熏染你，污染你的心，增长你的贪婪、无知、嗔恨。有一天你突然醒觉的时候，会发现自己已经变成了一个堕落放纵的人。然而你再想升华，回到一种智慧的状态，却已非常难了，甚至，你已经完全失去了升华的勇气与渴望。为什么呢？心灵的污垢就像是脓包，你挤它的时候，一定会痛，但你任由它在皮肤上肆意生长，却非常容易，只是你要付出健康的代价。这意味着，一个人想要堕落非常容易，堕落起来也相当快，但是一个人想要升华却非常难，他要经历灵魂撕裂般的痛楚，竭尽全力地以善的力量与欲望、无知斗争。一旦善的力量远远小于恶的力量时，他就会像悬崖上失去支撑物的石头一样，非常快地滚落崖底。你一定听过狼孩的故事，你知道，一个孩子在狼的熏染下，能变成狼，后来人们发现他，想帮助他变回人的时候，却已经做不到了。

有的时候，心与行为是应该分开的——心存善念，但行为上要顺世。所谓顺世，不是叫你被动接受什么东西、屈服于某种游戏的规则，而是说，你要选择一种更恰当、更有效的方法。真正的顺世是一种智慧，而不是一种软弱，其中的度，需要你仔细地揣摩。

3.
珍惜他人的真诚

有人在一次访谈中问我，你认为西部男人如何，他们是不是全都是卑微地真诚？我告诉他，真诚不是卑微的，所有向上的真诚都是值得我们尊重的。我觉得，只要一个人真诚且向上，即使他身份再低贱，也照样很高贵。但非常可悲的是，这个时代有太多的虚伪，很少有真诚。真诚是无价的。一次，我对一个朋友说，一个女人，最美的衣服是质朴，最闪光的品格是真诚，最令人厌恶的是自作聪明。

在家里，我每次吃饭的时候，都会很真诚地感激我的老婆：“哎呀，你做了这么好的饭。”我觉得，她把她非常宝贵的生命时光用来给我做饭，所以我从心底里感激她，真的。这不是什么哄她开心的话。我从来没有像有的男人那样，埋怨她没做好饭，或者埋怨她做的饭不合我的口味。为什么呢？因为我知道，做饭需要时间，而时间是她生命的组成部分，她本来可以用这些时间来做一些其他的事情，但她选择把一部分的生命时光用来照顾我，为我做饭。当她用她的生命来为你奉献的时候，不管她做得好还是坏，你都应该感激她。同样的道理，当一个老师用他的生命时光来给你上课的时候，不管你喜不喜欢他讲课的风格，你都要感激他；当一个人积极向上的时候，不管他能飞多高，你都要尊重他。

这也便是我对一位曾狠狠批评过我的批评家仍心存感激的原因。虽然他说的话很难听，但我尊重他的态度。只要他有一颗真诚的心，哪怕他是在用一种激进的形式帮我，我也是会感激他的。后来，那位批评家夸奖我很有风度。我说我不是有风度，我是真诚地感激你。一来批评是最有效的传播，你的批评让更多的人知道了我；二来你是真诚地想为我好，虽然我们观点不同，但你真的是想为我好，所以，我才会真诚地感激你。他感叹道：雪漠是真的活明白了。

每一个被虚伪和功利思想腌透了的人，总会嘲笑真诚，嘲笑高贵，但有趣的是，他们的嘲笑，不但不能减少自己的烦恼，反而是对快乐、自由的一种拒绝。在这个世界上，有谁会拒绝快乐、拒绝自由呢？它们是生命本具的一种追求。但很多人都在不知不觉中扼杀着自己的快乐与自由。

我举个例子，我的学生说，她有一个亲戚，自己开了个小店，收入还不错，但很耗时间。有一次，他向我那学生诉苦说，他们一家人的所有时间都耗在那小店里，全家人都非常累，他老婆也说很想休息，很想再要一个小孩。自从小生意开张以来，他和老婆就再没看过一场电影——虽然他们以前很喜欢一起去看电影。我那学生劝他，要不，每个星期都定期休息一下吧，让大家都喘口气。但他说，那小店生意还不错，少开张一天，就少一天的钱，他舍不得。他的理想是赚够钱之后带家人环球旅游，但那计划在看不见的未来。

为什么当初我能毅然决然地转让我那非常赚钱的书店呢？就是因为我知道生命是无常的。我知道，我们每一天都比昨天更接近死亡，我们根本不知道明天自己是不是还活着，更不知道自己有没有足够的时间，去实现自己的梦想以及对未来的所有计划。有的人计划在两个月后要孩子，但他突然死了；有的人计划在半年后换一份更有意义的工作，但他突然就死了；有的人计划两年后离开一个城市，回到家乡，但他突然就死了……生命在无声无息地消失着，好多人不能从心底深处意识到这一点的原因，在于他以为死亡是很遥远的事，跟自己毫无关系。但死亡怎么会跟你毫无关系呢？世界上有着太多的未知因素，每一天，都有无数种可能性，下一分下一秒永远都是未知，更别说明天，或者几年之后。

人的欲望是永无止境的，或许你最初仅仅是为了带家人去环球旅游而追求金钱，但是慢慢地，你就会产生更多的想法，比如你还想买一部车，还想买一栋房子，还想买好多名牌的衣服、好多先进的数码产品……当你手里有了一定的金钱之后，你会发现这个世界上总有一些你买不起、但又非常吸引你的东西，这些东西会让你忘记自己是为了什么而来到这个地方的。所以我说，好多为了某种非常美好的原因而追求金钱及其他欲望的人，最终都会被欲望吞噬，无法在梦想的路上走得更远。

我的意思并不是说一个人应该逃避金钱，仇视金钱，而是说你应该看淡它，应该明白它是一种强大的工具，但也仅仅是一种工具，它不是幸福本身，它所换取的东西，也不是幸福本身。它们仅仅是若干种给你带来有漏之乐的可能，甚至不是幸福的先决条件。如果你明白这一点的话，它就不会对你的心灵造成束缚，你就会有一种微笑拒绝它的力量。

当然，能利己并利他者，是上等的世间事业。我举个例子，比尔·盖茨创造了大量的财富，同时他又将大部分的财富回馈给社会，建立了慈善基金会，解决世界上的疾病、贫穷、教育等各种问题。当他能用这么大的一笔财富回馈社会的时候，一定有成千上万的人得到了一种看得见的帮助，这是非常好的。从佛家的角度来看，这也是一种承载了菩萨精神的行为。而且，佛家认为，财施是积累福报的有效法门，许多时候，对社会的贡献，是需要一定的财施来体现的。不过，财施跟福报有关，跟功德关系不大，功德出自清净心。福报是有“漏”的，就是说，金钱和物质解决不了根本的问题，它们都是会耗尽的，所以由它们带来的快乐与帮助也是有条件的；而功德却是无“漏”的，因为功德是一种岁月毁不去的价值，是一种精神的东西，它是不需要依托任何条件而存在的——当然，这种“无条件”是相对人类而言的，假如整个人类，甚至整个地球灭亡，我们也就没有了讨论这个问题的必要性和可能性。因为，人类的永恒追问，其实是相对于人类自身的。

佛菩萨身上承载的大善精神影响了一代又一代的人，而且这种精神从未因为某个人的死去或者某件事的结束而告终，只要有人类存在，就肯定有对大善的向往，一代又一代的人死去，但大善精神本身却是不会消亡的。佛菩萨本身也会成为大善精神的符号和图腾，随着这种精神的不断传承而实现一种相对的永恒。所以说，功德是无漏的。

当你明白世上一切都不可靠，都会消散的时候，就会想要寻找一种相对永恒的东西，但只要对象是因缘和合之物，我们就不可能让它永恒——实际上，连我们自己都不可能永恒。唯一能相对永恒的，只有精神。所以，真正看破红尘的人，才不会再被虚幻之物所诱惑，他们会用有限的生命和所有的真诚，去追寻一种真精神，而不愿让那些功利、机心的东西，污染自己心灵的纯净，给自己增添很多看似享受、实则负担的东西。这样的真诚，无疑是值得珍惜的。

4.
什么是真正的忍辱

佛家修行中，有一个很重要的内容，就是“忍辱”，但许多人听到这个词的时候，往往会产生一种误解，以为佛家的存在，就是让人忍气吞声，做个阿Q那样的精神胜利者。所以在有的人眼中，佛家一直都是统治者安抚民心的工具，但事实不是这样的。

许多所谓的佛家信仰者，包括一些穿着袈裟的“佛弟子”，在理解佛家思想的时候，也难免有所偏差，或者说，他们中的一些人，根本就不信仰佛家真理，而是把信仰当成一种职业或者牟利的工具，以便从善男信女的腰包里榨取金钱与各种供养。因为诸如此类各种原因所存在的一些糟粕的东西，与佛家的哲学思想及精神内核是没有半点关系的。

那么佛家所说的忍辱又是什么意思呢？佛家之所以提倡行者修忍辱，主要是让一个人不断消解外界刺激对心灵的干扰和影响，渐渐达到一种宠辱不惊、如如不动的境界。

在一次讲座当中，有一位朋友问我，在这个现实社会里面，善良的绵羊往往会丧生于狐狸的狡猾与狮子的利爪。那么，我们还要不要做一只善良的绵羊？我告诉他，佛法不是叫人做一只逆来顺受的绵羊，佛家所说的顺世，并不是无奈地接受，而是一种心态上的随缘、行为上的顺应时代需要。我举个非常简单的例子，当我需要调教儿子的时候，我就会吹胡子瞪眼地骂他，但我的心灵依然非常宁静。我的“发怒”，是因为儿子那时需要我用“发怒”的表象去调伏，而不是我要发怒。那发怒的外表与行为，只是一种善巧的手段，是智慧的一种表现形式，它不能代表我内心的状态。所以说，在面对世界的时候，你可以有狮子的铠甲，但你不能丢了内心的善良。

我的意思是，我们的行为可以顺应这个时代的需要，我们的智慧可以有各种各样的化现，但是我们必须守护内心的清明与宁静。在面对世界上的风风雨雨时，你不但不能让贪欲蒙昧了你的清醒，更不能让欲求不满所生起的嗔恨吞噬你内心的爱与善良。你要知道，无论你是不是感到愤怒，都改变不了这个世界，也改变不了已经过去的事情。因缘和合的时候，某个现象必然产生；因缘消散的时候，某个现象必然消失。就是这样。因缘聚合之物，本就是无常的，它不能给你带来永恒的快乐，但也无法给你带来永恒的滋扰。

我举个例子，有个学生告诉我，他跟一个女孩子很合得来，所以他经常跟她倾吐自己的心事，把她视为知己，甚至对她产生了一种深深的、超出了朋友界限的情谊。他很想对那女孩表白，但又觉得女孩未必会接受自己的心意，而且或许会因此而远离自己，于是他感到深深的恐惧。他幻想了许多可能会发生的情况，诸如女孩对自己的逃避与冷淡等，由于恐惧，他很想逃离女孩的世界。但是有一天女孩对他的态度却突然变得非常亲昵，他忍不住又开始想象，他们如果真能在一起的话，将会多么美好。可是，正当他有了一种期待的时候，女孩对他的态度又开始变得冷漠。他顿时陷入了巨大的失落，逃离的欲望又开始灼烧他的心。慢慢地，他发现自己在不知不觉中已陷入了一种情绪的轮回，他感到强烈的厌倦。他想从这种毫无意义的状态当中超脱出来。

但这种状态实际上是一种什么样的东西呢？它仅仅是妄心编织的一个巨大幻影，除此之外，它啥都不是。我在《真心——心学六品》中说：“妄心根境识，随缘和合生。”这句话的意思是说，妄心不是本有之物，它只是根、境、识和合作用时的产物。它随着外界的变化而不断变化，没有一个固定不变的状态。当我们不能安住于真心，被妄心所控制的时候，我们的情绪就会随着现象的更替而不断变化，你一会儿是天人，一会儿是恶鬼，一会儿是畜生，一会儿是阿修罗，一会儿是人，一会儿又堕入地狱。股票曲线般的情绪轨迹，让我们在人生的许多个时刻当中，都无法活得轻松自在，不断感觉到一种巨大的折磨。因执著于情绪、幻象，而遭受各种折磨，就叫轮回；看透世界虚幻的表象，放下所有执著，就是涅槃。

失恋也罢，落选也罢，什么也罢，本质都是这样，都是一些不断变幻的现象。当你执著于它时，它就是你生命中的存在；当你放下那执著时，也就觉得生活当中也没啥问题，只有经历，只有不断变化的现象。就是这样。

这个世界上，没啥东西值得你去在乎，包括你到底是快乐还是不快乐。因为，所有事物都在不断变化，所有情绪也在不断变化，当你安住于那个不变的东西，观察不断变化的自己，观察那些忽生忽灭的快乐、忧伤、痛苦、狂喜、焦虑、恐惧等情绪，你就自然会淡然很多。这时候，你再来面对世界上的好多事情，就会慢慢觉得啥都无所谓。因为你知道，今天那个人骂了你，可能他下一秒就会感到后悔，即使他不感到后悔也很好，反正所有的东西都不过是一种因缘聚合的产物，因缘一变，现象就变了。再者，啥经历一旦过去了，就都只是一种记忆。所以，你还能在乎些什么呢？

佛家的忍辱正是建立在这样的一种观点之上，假如你缺乏这样的一种见解，而仅仅是强行压抑自己的怒火，强迫自己接受一些自己不愿意接受的东西，那么你就不是真的在修忍辱。真正的忍辱，是明白一种真理，并且把那明白变成你的生命本能，让不断生起的习气自然融化在真理的光明当中。这时候，你说，你还有啥好“忍”的呢？

5.
品味不快乐

仍然在“忍”，还是觉得没啥好忍，说白了，其区别就在于你是否明白心性。你明白了心性的时候，就是登地菩萨；保任真心，如如不动，直到打成一片，不但融入智慧光明，自己也化为光明，便是证道，也就是我们所说的“成佛”。

有人问我，什么叫“如如不动”？我告诉他，如鱼饮水，冷暖自知。只有如如不动者，才明白何为如如不动。因为，当你真正明白如如不动后，你便见性了。偶尔如如不动的见性离成佛尚有距离，它只是明心见性后的一段历程。你一旦明心见性，并且能够保任真心的时候，便会得益于智慧的观照，在生活中不生烦恼与执著，久久熏习，便会如如不动。

真心、打成一片、如如不动，诸如此类的概念，准确说来，都不应该被当成概念，它们本来是一种超越概念的东西。不过，我们在书中表述它们的时候，也只能用概念以及对其的字面解释，来尽量让你在理上明白一种东西。这种理上的明白，就像是一种台阶，你走到这个台阶的最高处，一伸手，就自然可以够到那事上的明白。至于你愿不愿意走上这个台阶，你愿意走多久，假如中途觉得累了的话，你会不会生起退转心，这都是你个人的选择。但是我可以告诉你，如果没有善知识的引路，你在攀爬的过程当中，是很可能会从旁边的悬崖上掉下去，摔个粉身碎骨的。为什么呢？因为那台阶在黑暗里，它的左边和右边，都是悬崖。只有那台阶是中道，你无论偏左还是偏右，无论你偏有还是偏空，都会远离解脱之路。所以，在实践的过程中，你还需要一盏引路的明灯。

善知识的作用，就是告诉你，你该怎样修行。古代印度有八十四位著名的成就者，其修行成就的方法各不相同，各自的修行境界、对世界的影响，也都各不相同，但他们无一例外地，都是先找到自己的上师，然后再如法如量地按照上师传授的教法修行。不过，善知识的身教，有时比他的言传更加重要。为什么这么说？因为有的时候，佛的精神可能会显得比较抽象，精神层面的佛菩萨，也是凡夫看不见、也无法交流的一种伟大存在。但我们说“仰止唯佛陀，完成在人格”，就是说，我们应该参照一些自己看不见的伟大存在，来升华自己的人格。那么我们应该如何参照，又如何升华呢？这时候，人间上师——也就是你看得见、可以交流，并且对其有巨大信心的那位善知识——就发挥了根本的作用。他不但能为你开示心性，使你真正走入修行，你还可以通过观察他的一言一行、一点一点地调整自己的行为，调整自己的认知，你会在他那承载了大善精神与无上智慧的强大磁场的磁化下，一天又一天地远离无知。慢慢地，你的本有智慧就会显发，你的命运就会开始改变。换句话说，就是依其教言，改变心灵，改变行为，进而积善成德，改变命运。

不明心性时的“忍”，属于一种帮助你远离嗔恨的戒律，然而，就像所有其他的戒律一样，它本质上是你内心的一种坚守，而非一种外界强加给你的束缚。有所取，有所舍，便是戒。所有的舍取，都是为了内心的明净。

我举个例子，当有人骂你的时候，你可能会觉得很不甘心，但是你仍然要忍。为什么要忍？因为你不能放纵自己的嗔恨，当你放纵自己的嗔恨时，它就会让你在情绪冲动下，做出一些不太恰当的选择，然后承担一些相应的业报，尤其是会加重你的愚痴。比如，有的人不愿意控制自己的愤怒，每次与人发生争执的时候，都会选择一种非常激烈的处理方式，或跟人吵架，或跟人打架。他们以为自己这样做，是为了让对方明白一种做人的原则和底线，知道凡事都要承担后果，但实际上，这只是一种借口，其真正动机，仅仅是他们受到了刺激，很想发泄自己的愤怒。当然，每个人在面对世界时，都有自己的一种方式，不过，每种方式所收获的效果都不太一样。无数个行为的“效果”，便组成了我们的人生。

比如说，有的人吵架、打架，后来不了了之；但有的人只是一时冲动，却会在一些巧合当中，变成杀人凶手。谁知道，你的一时冲动，会不会造成一种你不愿意去面对与承担的局面？所以说，无论是出于一种修行的角度，还是出于一种理性分析的角度，放纵恶念，放纵嗔恨，都会为你的将来种下一种非常可怕的恶因，一旦机缘成熟，这恶因就会结出可怕的恶果，到了那个时候，你就算不想承受，也不得不承受了。

世界就像一个大海，我们每一个人都是其中的一滴水，你不能把大海与这滴水分开，所以你也不能把利己和利众完完全全地分开。每个人的一言一行，都在不断互相影响着对方，你心灵的状态，决定了你面对世界的态度，这些态度便预言了你的命运。假如你对自己的命运不满意的话，首先不应该责问老天爷，你应该责问自己的心，问问自己，为什么不能擦亮眼睛，做出一种更为恰当的选择呢？为什么要为自己的未来埋下那么多恶的种子？

可惜，我们在遭受逆缘的时候，即便不埋怨老天爷，也往往会埋怨这个世界，我们会觉得这个世界上充满了恶：动不动就遇到要跟你吵架的人，动不动就遇到不尊重你的人，动不动就遇到一些侵犯你利益的人，动不动就遇到刁难你的人……也许世界上确实存在着许许多多的恶，因为社会上盛行着一种倡导欲望的文化，这种文化在潜移默化地改变着人们的心灵，让人变得更加贪婪，更加愚痴，更加冷漠，更加愤怒。但是，毕竟，所谓社会，说到底，就是由一个又一个人组成。没有每一个“我”，就没有整个社会，也没有所谓的文化。

有一个朋友问我，如何面对强压于自己的恶，忍无可忍的时候又该怎么办？我告诉他，有时候，人们所说的恶，其实是自己心灵的原因，大多数人总喜欢将不恶者视为恶。我为什么这么说呢？因为，人长了什么样的心，就会看见什么样的世界。当你非常注重自己的得失时，你在衡量一件事情的时候，往往就会从这个角度来考虑。举个非常简单的例子，我在传播一种思想与理念的时候，有人认为这很好，是在以智慧照亮世界，但有人也认为我是在干涉他人的思想自由，还有人认为我是在推销自己，更有视我为“魔”者。不同的人，眼中有不同的“雪漠”。所以我说，雪漠是一面镜子，佛见是佛，魔见是魔，各随因缘而解。世界上好多其他的事情，同样如此。

东莞有一位人称“坤叔”的老人，他散尽百万家财，只为让那些没钱读书的孩子能读上书，是个不修行、但具有菩萨精神的人。但就是这样的一个人，也曾经被人曲解他的动机。有一份报纸，用了非常大的版面，来揣测坤叔行善的“真相”，当然，其行为背后也许有着某种利益化的目的，但这种话题能够吸引眼球、引起广泛讨论的原因，就在于好多人确实在以这样的模式和角度来揣测、看待一些人的善行。这是非常可怕的。因为，当这种心态所显示出的功利与狭隘成为社会的常态时，它就会把好多人都熏染成那个样子，整个社会就会变得越来越冷漠，最终，每个人都会成为这种冷漠的牺牲品。

所以说，面对世界的时候，不要总觉得我们必须去忍耐一些什么样的东西，也不要总觉得人家总想伤害我们和我们的利益。我们应该叩问自己的内心，看看自己的心中是不是有相应的污垢，然后一点点消解它。我们首先要使躁动的内心恢复宁静，才能知道自己应该以怎样的行为，来处理所面对的人和事情。当然，假如你找到了生命中最重要的那位上师，如法如量地按照他的教法去修行，并且能够明心见性、安住于真心，那么你自然会省略上述的那个过程，随缘地做出最恰当的决定。那时候，你只管好好品味，好好享受，明白清凉，无执无著，便是真正的“忍”。

6.
世界是一块试金石

我总是说，佛家所有的修行，都是为了破执。放下，不执著，就是学佛；真放下，就是解脱。如何检验自己是不是真的放下了呢？你要在工作与日常生活当中观察自心的状态，看看自己有没有生起欲望与嗔恨，智慧有没有蒙昧，有没有妒忌他人，有没有心存傲慢、看不起别人。世界是最好的试金石，在你面对世界的时候，就自然知道自己到底是解脱了，还是没解脱。

我举个例子，各个领域都有这个奖、那个奖，比如茅盾文学奖、金马奖等。不管什么奖项，本质上都无非是一种人为的游戏规则，其存在也仅仅是因为有人认可并承认它们，并且愿意用这些奖项来衡量自己的价值。对于不认可这些奖项或者不承认这些奖项的人来说，它们就没有任何的意义。比如说，一个老婆婆根本就不知道什么叫茅盾文学奖，也不知道其他的好多奖项，那么假如有人对她说，我得了茅盾文学奖，她也不会因而更加尊重此人，因为她不懂得获得茅盾文学奖意味着什么。对于许许多多的圈外人来说，都是这样，他们不关心文坛里面发生的好多事情，不关心茅盾文学奖的评审标准，更不关心到底谁获了奖，对于他们来说，整个文坛就是一个跟他们毫无关系的世界。换句话说，他们在一个叫作“油盐酱醋”的游戏中乐此不疲，而文坛的作家们则在一个叫作“稿费评奖”的游戏中乐此不疲。虽然表象不同，但本质上都一样，整个世界就是一场巨大的游戏。

我们在参与世界上各种各样的游戏时，必须很好地熟悉那游戏的规则，并且遵循那游戏的规则，这是对规则的一种尊重，也是对世界的一种随顺。在这个基础上，我们仍然可以跳出最美的舞蹈，把我们最好的东西展现给世人，为他们带来一份明白、一份清凉、一份好心情。但这仅仅是行为上的顺世，并不意味着我们的心灵要受到一种束缚。

束缚是什么呢？就是捆绑我们心灵的东西。我们执著于什么，它就会对我们产生一种束缚。比如说，你要是很想获奖，那奖项就会束缚你；你要是想赚很多钱，那金钱就会束缚你；你要是很想买一个楼房，那楼房就会束缚你。束缚你的，并不是世界上的规则，而是你的贪婪与执著。当你的心里充满了贪婪与执著的时候，你的心上就有无数的枷锁，让你不敢做那些你该做的事，也不敢说那些你该说的话。

在四川藏传佛教文化论坛上，我作过一个题为《九个面对》的主题演讲，很多人听了都非常欢喜，媒体、学者纷纷与我联系，但与我同时参加那个论坛的一些人，却不愿意与媒体有任何的接触。为什么呢？因为他们被某种东西束缚了，但是我心里却没有那样的东西，所以我不害怕世界关注我，也不害怕世界监督我，我唯恐世界听不见我的声音，唯恐世界不来监督我。因为，假如这个世界不关注我、不监督我的话，就意味着我的思想没有传播出去，也没法传播出去，那么就无法令更多的人受益。就是这么简单。

当你害怕受到别人的关注与监督的时候，实际上是因为你想要隐藏某一种东西。假如你不需要隐藏任何东西，也就不用畏惧这个世界的眼光，因为你非常坦然。我们的修行，好多时候修的就是这一份坦然。坦然是什么？就是婴儿饱乳安睡的那份满足与快乐。心灵没有一丝阴影的时候，你自然会体验到那份满足与快乐，你也就不用躲在阴影中。其实，每个人都要明白，我们拥有的智慧也罢，思想也罢，都不是我们自己的东西，它是整个人类共有的财富，是照亮整个世界的太阳。有些人想要把那太阳塞进自己的腰包，不让它照耀整个世界，甚至想靠它牟利的时候，就是一种巨大的贪婪与愚痴。一定要明白这一点。

假如你把自己的智慧、思想等好多东西藏着掖着不肯示人，总是自己躲在一个地方没事偷着乐，不去帮助那些需要你帮助的人，任由他们在痛苦中不能自拔，那么你的所谓智慧就没有任何真正的价值。智慧是什么东西？智慧是滋养心灵的营养，是让你的心灵变得更加博大，甚至能容下整个宇宙的东西。虽然我们总是把智慧与慈悲分开来说，但它们却并不是全无关系的，当你的智慧境界增长到一定程度的时候，你的慈悲心自然也会增长。为什么呢？因为你会发现，你明白了一些东西，脱离了一种痛苦，但是好多人还不明白，还痛苦着。那么你就会对他们产生一种悲悯之心，甚至不在乎他们会不会当面对着你笑，背后却又说着你的坏话、做着一些迫害你的事情。所以，假如你的慈悲心没有一点点增长的话，你就肯定没有达到一个非常高的境界。换句话说，如果你没有度众的菩提心，那么你就肯定没有成就菩萨道，更肯定没有成佛。

有人问我，如果有的人没有能力做那所谓的精英，也没有达到某种智慧境界，他只有一颗无私利众的心，但经常好心办坏事，那么他该怎么办？我告诉他，好心办了的，就不是坏事，因为那好心本身，便是最大的好事。但许多时候，我们还应该修成大力。这样，无论其心其力，都可以最大限度地利益众生。好心是究竟的好事，而其结果则可能由角度不同而变化，所以不管结果，只问用心。我说的大力，并不是一种无畏之心，或者什么神通之类的东西，而是一种智慧之力。当你有了大心，又俱足智慧的时候，就自然会拥有利众的大力。

但是，无论拥有大力，还是尚未拥有大力，你都不要管那结果。我常引用外国的一句老话："恺撒的事归恺撒，上帝的事归上帝。"这是什么意思呢？就是说，结果不是我们管得了的，也不是我们应该去管的，那是老天爷的本分，我们也自有我们的本分，我们的本分便是完成我们该做的事情。在做事的过程中，我们只管耕耘，莫问收获。因为，不管你问不问那收获，该收获的时候，总会收获的；不该收获的时候，你怎么问，也问不来任何收获。好多时候，就是你那总是忍不住去问的心，造成了你的好多烦恼。那总是忍不住去问的心，实际上，就是你还没有破除的执著。

7.

莲花总在池塘中

有人问我，佛法与社会的关系如何？我说，社会如池塘，佛法是池中长出的莲花。莲花不离池塘，却又能超越池塘。这句话的意思是，学佛无须逃避社会，因为它们两者之间并不是毫无关系的。并不是说，你应该在社会生活之外，再寻找另一个解脱。不是这样的。真正的佛法，是应对世界的方法，是救心之法。当你有了莲花的心，就既能吸收池塘的营养，又能超越池塘的束缚，高于池塘，看到更多的风景。但是，池塘中的小鱼、小虾等诸多东西，却没有超越的心，没有这样一颗心的时候，它们便只能看到自己的同类，以及淤泥、水草、垃圾等，再看不到其他的好多东西。它们会以为，这些东西就是整个世界。莲花与它们的不同之处，就在这里。

当然，在你不懂得安心之法的时候，花花绿绿的世界，很容易把你的心搅得乱七八糟，你一会儿追着这个走，一会儿又因为自己没能得到那个东西而感到苦恼，你的心常常处于一种焦躁的状态。好多人在这个时候，就希望能找到一种能够让自己平静下来的方法。有的人会因此而选择读书。读书也很好，但并不是所有人都知道什么书才是好书。我曾经应邀参加过一个主题为“不读书与心灵死亡”的微博访谈，在访谈中，有网友问道，如何区别好书与毒药？我告诉他们，能让你感到灵魂清凉的便是好书，助长贪嗔痴的便是毒药。

精神吸毒非常可怕，精神上的吸毒者虽然没有什么生理上的明显反应，但他们心中的烦恼却是一天比一天更多，因为他们的执著不曾消减，反而因为读书而变得越来越多。比如，好多职场小说，教人如何在职业竞争上获得名利地位，如何在与他人钩心斗角中获取自己想要的东西。这种小说，绝对不可能让一个人获得灵魂的清凉，它只会让人越来越勤于算计，越来越贪婪，嗔恨心随之变得越来越强，心灵也越来越冷漠。这种书，对于个体来说是毒药，对于社会来说，更是一种可怕的毒药。从某个角度上来说，它比毒品更可怕。因为，所有人都知道毒品会危害生命，会让人放纵堕落、倾家荡产，甚至家破人亡；但是精神毒药却不是这样，好多人甚至不知道精神吸毒的可怕，他们只知道自己在读一本书，在接触一种观点，或者仅仅是在读一个故事，但他们不知道故事与观点当中，有的时候会暗含一种丑恶的信息，这种丑恶的信息会在不知不觉中腐蚀一个人的心灵，当它变成一种流行文化时，还会腐蚀整整一个时代，异化整个社会的价值取向。当整个社会都失去了正确的价值评判标准时，整体的道德底线就会开始下滑，整个人类就会被一种巨大的阴影所笼罩。这个阴影是什么呢？是欲望，是像脱缰的疯马似的欲望，它非常可怕。所以说，在我们读书之前，至少要形成一种正确的判断标准，不能毫无选择地读书。毫无选择地读书，就像毫无节制地狂吃海喝，对人的健康没有一点点好处。

那么，怎样建立一种正确的判断标准呢？要么，你可以先寻找一个懂得读书的人，这个人的胸怀一定要非常博大，他的眼光甚至要超越民族、国家、种族等局限，非常高远，而且他的言行必然一致，也必然利众。如果你的视野当中出现了这样一个人的时候，就不要有丝毫的顾虑，要像赤子扑向母亲一样真诚地亲近他，向他学习读书之法，更向他学习做人之法。要么，你也可以走进宗教——我当然更希望你走进佛家，因为佛家教人破除执著，实现一种绝对的自由自主，这是与其他宗教不一样的地方——用宗教中承载的大善信息来熏染你的心灵，来开启你的智慧，到了一定的时候，你自然就会拥有一种判断的能力。这能力不仅仅适用于寻找好书，也适用于待人处事。当你用一种智慧的眼光来观照人生，应对世界的时候，你也就开始了真正意义上的修行。

不过，如果你选择了走进佛家，那么你就需要寻找那位能让你安心的善知识，他是你生命中最重要的贵人，只有他才能开启你本有的智慧，使你远离所有的功利与计较，远离一切的烦恼与执著。在他的指引下，你才会真正明白，为啥世间法的好多东西，看起来能让你过得更好，实际上却是让你陷入烦恼与痛苦的一种谬误。

我举个简单的例子，有好多人都认为，既然欲望是人心中必然存在的东西，那么人就不应该抗拒它，或者想方设法地消解它，反而应该沉醉其中、享受其中，这已经成为一种社会共识。比如说，好多人都认为住高楼大厦很好，把大量的金钱花在享受上面也很好。假如你不但拥有高楼大厦，还能随时拥有很多高级享受的时候，人们就会认为你是成功者，是社会精英，他们不会在乎你为这些东西付出了多少，是不是曾经伤害过自己的良知，是不是做出了许多让自己不能坦然的事情，是不是让自己远离了快乐陷入了热恼；反之，假如有一个人过得非常快乐，生活得非常简单、朴素，很高尚，总是帮助身边的人，但他没有自己的房子，没有自己的小车，收入也极为平常，甚至仅仅足够满足自己的温饱时，人们就会认为他是一个失败的人，是一个胸无大志的人。就是这样。当整个社会都这样认为的时候，所有人都会想要做那前者，他们会费尽心思地学习前者走过的路，看不见这条路上其实布满了致命的地雷。这些致命的地雷是什么呢？就是欲望所带来的愤怒、焦躁、不安、抑郁、失落、麻木、冷漠、嫉妒等负面的东西。他们不会知道，自己所追求的，仅仅是一些非常虚幻的东西，依托这些东西存在的快乐不可能永恒，但它们却能扼杀一个人得到永恒之乐的所有可能。否则，为啥那么多富翁跳楼自杀、家破人亡，为啥那么多富翁散尽家财，走向宗教或者慈善？

所以说，如果你想要活得快乐、自由，就必须超越你生存的环境，不要让这个环境中的噪声遮盖你心灵的声音，也不要让大千世界的纷繁景象，扰乱你的向往之心。但这种超越，不是一种抛弃，也不是一种形式化的脱离，而是身在其中，心却不被其束缚的一种自主。正如六祖惠能在《坛经》中所说："佛法在世间，不离世间觉。离世觅菩提，犹如寻兔角。"寻找一种跟世俗生活毫无关系的觉悟，就像寻找兔子头上的犄角般不切实际。因为，佛法的真正意义，就在于改变社会和人生；觉悟的真正意义，就在于让人生活得快乐且明白。如是故，与社会及人生分离的觉悟，不可能是真正的觉悟。

8.
什么是真正的利他

我说过，从本质上来说，无论在工作当中，还是在生活当中，调心的方法都只有一个，那就是"放下，不执著"，但真要放下，却并不是那么容易的事情。尤其是对于一些没有明心见性的人来说，放下，似乎遥不可及。那么，有什么方法，可以令一个人在生活和工作中真正放下呢？首先，你可以多发大心，多以实际行为利众，为自己积累资粮，积极地创造与明师相遇的因缘。

有网友问我，利众精神当中，"利"的对象如何确立，应该优先利哪些，然后再利哪些？我回答他说，尽量都利，至少心利。什么叫心利？就是说，你行为的发心，必须利益所有众生，不能以一种分别心来选择你利益的对象，不能说他是你的家人，你就优先利他，也不能说为了利众就不利自己的家人。在圣者的眼里，家人也是众生，众生皆父母，他们绝不会因为亲缘关系或别的关系而将众生划为三六九等，然后区别对待。但是，角度的不同，难免会导致结果的不同。比如说，我在传播一种善文化，抨击一种罪恶文化的时候，那些正在寻找答案的人，当然会因此而受益，但是那些传播罪恶文化的人，就会认为我在跟他们作对。就是这样。但是，我绝不会因为有一部分人觉得我损害了他们的利益，就改变我的说法与做法。为什么呢？其原因在于，我永远都站在全人类甚至众生的角度上来看待世界上的好多事情，所以我明白，即使一些人的短期利益会因此而受到一些损害，但本质上来看，这仍然是在利益他们。因为，即便他们在传播罪恶文化的过程中，获得了一种物质上或者精神上的短期满足，但是这满足很快就会消失，其行为对他们自己以及整个人类社会的伤害却会久远得多。只有用大善的信息来消解一种罪恶的信息，才能为人类带来和平与真正美好的明天。如是故，我总是说，真正的利众，必须把全人类——甚至全宇宙——作为参照系。仅仅站在一个团体、一个民族、一个国家的角度的利众，还不是真正的利众，因为这样的“利众”，往往在发心上，已经是宁愿牺牲他人的利益来成全自己——即使这个“自己”指的是一个群体而非个人。

不过，我在提出这个观点的时候，好多人是不认同的，他们认为捍卫自己——包括个人、群体、民族、国家等——的利益，是理所当然的事情。这也没错，但问题是如何捍卫，这种捍卫会不会成为一个暴力侵略他人的借口。比如说，有人骂你，你为了捍卫自己的尊严，就打他，甚至拿刀捅他，这也是捍卫，但这种捍卫合理吗？民族与民族之间的争斗，国家与国家之间的争斗，被冠以某种神圣理由而对他人进行的侵略等，表面上看来与上面的那个例子毫无关系，但本质上，它们都是同一种东西，只是具体形式与程度的不同而已。当然，某种具体的行为也罢，某个人的功与过也罢，只是历史大海中的几朵浪花，它们都是稍纵即逝的现象，一旦过去就变成了一个又一个的记忆，但是当它们所承载的恶却影响了人类的心灵，并且被一代又一代传承下去的时候，就变得非常可怕。所以，更主要的，是我们不应该去放纵一种恶念，更不应该传播一种承载了恶的信息，尤其是我们的文化绝不可以这么做。这么做的时候，或许我们以为自己是对的，但这种罪恶的信息蔓延出去的时候，就会将整个文化土壤都变得非常邪恶，然后滋养出一代又一代充满了贪婪、嗔恨与无知的人，诞生出许许多多的罪恶。当整个文化土壤都被邪恶的信息所异化的时候，星星之火般的智慧就很难燎原成大火，很难烧掉笼罩世界的黑暗。因此，我们不但自己要放大声音，还要鼓励所有向往大善、大美、大爱的人们都放大声音，用各种适合自己的方式，将正面的信息尽量广泛地传播出去，让更多的人察觉到自己心中的爱，正在被一种罪恶的集体无意识所吞噬，觉察到这一点的同时他们就会开始反省，进而趋善避恶。

好多人之所以被罪恶的集体无意识所影响，并不是因为他们没有善美的向往，更多的是因为他们不明白人类是一个整体，而非若干个群体。当他们不明白这一点的时候，就会有一种分别心，这种分别心导致了人与人之间、群体与群体之间的纷争与纠斗，也导致了无数悲剧的产生。所以，即便我们在传播一种利众精神的时候，仍然不要把利己与利众分得清清楚楚——分清楚的时候，是知道自己该做好自己的本分，更多的是应该明白，所谓利众，实际上就是最大的利己。因为，利众升华的是你的心灵，完善的是你的人格，当你的心灵在利众的过程中一天比一天更加博大，你的人格一天比一天更加完善时，你的命运就会随之发生改变。因为与宇宙中某种大善的力量相应，你的身边还会积聚越来越多的善缘，它们都会帮助你达成一种大力，完成利众的大心。而且，在这个过程当中，你也会变得越来越快乐、明白、清凉。

虽然说利众是最大的利己，但你同样不能对此有所执著。你要明白，所有的执著都会给你造成一种束缚，让你的心灵不能自由飞翔。你要忘记自己的得失，忘记所有的概念，忘记所有的分别，仅仅在一片朗然真心的观照下，为需要帮助的人们随缘地送上一点温暖，伸出一种援手，财施也罢，安慰也罢，传递某种觉悟也罢，不要为做而做，也不要执著于那做的结果。你始终要记住，你的一切善行，最终都是在成全自己对大善的一种向往，至于事情的结果，你必须随顺因缘。有什么样的因缘，就会聚合成什么样的结果，但那所谓结果仍然会不断变化。这个世界上充满了变化与无数的可能性。

9.
奉献的前提

当然，作意地去利众，仍然不算真正的利众，但这是一个好的开始。因为，当你在生命中注入一种大善的信息，让它不断滋养你的心灵，不断熏染你的心灵时，欲望、嫉妒、嗔恨等一切恶念就会渐渐消融，相对地，你生命中本有的爱与慈悲就会渐渐增长。当你心中有了一种超越一切关系的爱时，你自然就没有了“利众”“行善”等概念，但又无时无刻不在利众。这时候，你才达到了一种真正的利众。

不过，好多人其实是不懂得如何去爱的。不懂如何去爱的原因，在于他们心中充满了看起来很像爱的欲望，这些欲望掩盖了纯净无染的爱。他们所谓的爱，是一种等价交换似的东西。比如，我给了你爱，你也要回报我爱；我做出了爱你的行为，那么你也要做出爱我的行为，而且最好是以我想要的方式来爱我；假如我给了你爱，但你不能回报我的爱时，我就恨你；当我做出了爱你的行为，但你却以冷漠或者背叛来回报我时，我不但恨你，甚至诅咒你、诋毁你。所以说，世俗热恼之爱，是非常可怕的。这种“爱”为人们提供了一个堂而皇之的借口，来伤害他所“爱”之人，同时也用贪婪与嗔恨狠狠地伤害着自己。

当我们不懂什么是真正的爱，又固执于一种欲望性的爱时，我们当然不懂得如何面对尘世中纷纷扰扰的现象，我们总会因为欲求不满而感到痛苦。那痛苦看起来是如此真实，以至于我们忘记了佛陀那“一切有为法，如梦幻泡影，如露亦如电，应作如是观”的教诲。当我们忘记世间一切都不过是一场幻梦、一场游戏的时候，自然会对其中发生的所有事情都无比认真、无比在乎，我们会把一切得失都看得非常重要，不知道所谓得失，也不过是因缘的聚合与离散，不过是幻变的记忆，觅其实质，了不可得。

所以佛法常常强调无常。古印度的修行人为了避免忘记无常，常到尸林里苦修，时时刻刻面对死亡对心灵的冲击，时时刻刻保持着一种巨大的出离，厌离那虚幻的红尘，追求那不朽的觉悟，祈求自己在有生之年能够超脱红尘欲望的束缚，破除所有执著与牵挂，达到一种即身解脱，至少能往生佛国净土。

一个人只有出离、厌倦尘世的一切，才可能生起一种无伪的信心。他不会再去渴求那物质化的东西，也不会渴求欲望的满足，他想要得到的，仅仅是智慧的觉悟，仅仅是执著的破除。他会在这种巨大的虔诚当中，忘记了自己的得失，甚至忘记了自己。他慢慢就会明白，所谓的“我”，也是幻化的，没有永恒不变的个性，没有一成不变的想法，没有始终如一的躯体，也不会有生无死。既然没有了“我”，也就没有了建立在自我基础上的许多东西，房子是空的，票子是空的，小车是空的，一切诱惑都是空的。只有一个东西不是空的，那就是真理，就是彻底觉悟的心。

一旦破除了我执，就证得了阿罗汉果，但想要走到这一步，仍然不是那么容易的事情。不过，至少你要慢慢地尝试，即便在作意的行善当中，也要渐渐忘记自己的得失。当我们忘记自己的时候，心里才装得下别人。当然，首先装下的，必定是那些跟你关系最为亲近的人，比如你的父母、亲人、好友等，你要像对待佛陀一样对待他们。与此同时，你还要学着将周围的人也当成你的父母、亲人、好友，对他们也怀有一份由衷的善意与关怀。就像我在一次网络访谈中所说的：“像爱自己的父母那样爱别人，像爱情人那样爱世界。”然后，你慢慢把这份爱波及更广泛的人群，直至遍及整个世界。

一开始这或许是作意的，你甚至可以把他们都观想为佛陀，但是这种信息会渐渐渗入你的生命，形成你的习惯，清净你灵魂的污垢。当你的心灵越来越干净的时候，你本有的那种清净无染的爱就会慢慢被唤醒。你渐渐能感受到他人的心跳，你的眼里渐渐能看见他人的痛苦，他人的眼泪滴在你的心里，也能溅起一点一滴的水花，只是这水花不会在你的心湖当中留下半点痕迹，它无法影响你内心的宁静。你像珍惜绝世珍宝一样，珍惜你身边的人，享受每一个微笑、每一滴眼泪，甚至每一个嬉笑怒骂的瞬间。你知道，所有的瞬间都将飞快地逝去，都会飞快地成为记忆。既然如此，还有什么好争的，还有什么好怒的？何不品味每个当下，在每个当下都给自己与他人一份好心情？我说过，每个当下都有一份好心情的话，你的人生就会非常幸福。幸福，仅仅是一种内心的觉受，在保证了基本生存的前提下，它与物质没有必然的联系。明白这一点的时候，你就会自然而然地放下好多东西，破除好多执著。

需要注意的是，你在热爱世界的同时，也不能丢掉你的出离心。我说过，菩提心是热爱人类，出离心是远离人群。没有出离心，就不可能修出定力智慧；但没有菩提心，你又不可能达到一种很高的境界。

我举个例子，一个人问我，多愁善感好不好？我对他说，在很长的一段时间里，我也是多愁善感的。但后来，我极力保持平静心态。作家不多愁善感不行，太多愁善感也不行。没有感情，就成了木头人，写不出真情实感；太有感情，就整天谈感情去了，忍受不了寂寞，也写不出好东西。所以，作家既要心灵丰富，又要耐得住寂寞、能享受孤独。孤独是一种境界，作家需要多愁善感，需要孤独，更需要平静的心态和豁达的胸怀，要跳出自己的生存环境。出离心与菩提心的关系也是如此。

你不能因为厌倦世界的虚幻不实，就对一切都漠不关心，否则，你就不是一个活生生的人，而是一块冷冰冰的石头，石头是不可能见性成佛的；但你也不能因为热爱这个世界，就想把它牢牢抓住不放，否则它就会变成无数条铁链，牢牢束缚住你的心灵，让你失去心灵的自由与自主。所以，修行也罢，生活也罢，我们常常强调要寻找一个中道，断不能变得偏激。偏激也是因为执著于某种东西，无论这种东西是什么，最终你都必须要破除它，才能得到真正的解脱。

10.
文化不是推销

有人问我，有些朋友特别擅长说服别人，这类人是否成就更快？我回答他说，度人者若有清净心，便有功德，它属于资粮的一种，有助于成就，但成就还需要有别的条件，比如成就上师的开示，比如信心，比如自己的精进，比如传承的清净等。诸缘俱足，才能成就。

实际上，当你拥有的智慧达到某个程度的时候，自然会俱足一种善巧方便，就是说，你自然就会知道，那需要喝水的人，更喜欢玻璃杯，还是陶瓷杯；更喜欢喝龙井，还是喝红茶。他喜欢用玻璃杯装着龙井喝的时候，你不妨随顺他的心意，最重要的是，那杯中的智慧之水确实能消解他灵魂的焦渴。所以说，你应该关注的是自己的智慧有没有增长，而不是自己能不能成功地说服别人。

当然，能够成功地说服别人也很好，因为，当你拥有一种真正的智慧，又能将它传播出去，改变别人的生命，让别人也能跟你一样受益，变得非常快乐的时候，就非常好。但是，不能说服别人也很好，因为，每个人都有自己的生活方式，都有自己的观点和看法，都有自己人生的追求，你不能要求每个人都遵从你所坚守的价值观，更不能要求别人以你的那种方式来生活。你应该去做的事情，仅仅是用那照亮你自己的智慧之火，点燃一个火堆，尽量让它烧得更旺，让远方那些在黑暗中赶路、却又向往光明的人，都能看见这一堆火。当他们能够看见这堆火，又需要这种光明的时候，他们自然会向你走近。

我的意思是，“说”的目的不是说服别人，说服别人，也不是为了成就。我们的“说”，仅仅是自己的一种修为，仅仅在成全自己的一种善念。当身边的人需要你去说的时候，你就去说，说得尽量善巧一些、清楚一些，为的是让那倾听者能从你的话语中吸取自己需要的东西，而不是仅仅为了传播你所认可的东西，更不是为了让自己的行为产生一种功德。当你随缘地去说，没有任何功利的目的时，你的行为自然能产生一种功德，这种功德，源于你的清净心对他人的正面影响。那“说”的过程，既是你帮助他人的一种方式，也是你修行、保任的一种方式，它放大的，是你内心的善念；升华的，是你的人格。所以，即便在“说”的过程中，最大的受益者仍然不是对方，而是你自己。一定要明白这一点。

我的意思是，我们所有的行为，都要有一个正确的发心，不要总想着推销自己的某种东西，而应该以帮助别人为目的去做好多事情。所有的善文化也罢，大善的思想也罢，最终都是为了对人的心灵发生作用，让人生活得更加快乐、明白而存在的，它并不是为了存在而存在。所以，我们也不能为了说服而去说。不是为了说服而去说的时候，你就不用在乎别人是不是在听，有没有听进去，你不用在乎那结果。听了也很好，听不进去也很好，只要他们能有一份好心情就很好。如果他们没有好心情也没什么，情绪嘛，总会过去的。你只管说完你该说的话，尽完你该尽的力就行，至于结果，就随缘吧。佛家总说，随缘度众。这句话的意思是说，佛家智慧虽然能解决生活中最根本的问题、心灵的问题，但是一个人肯不肯接受它，能够接受多少，仍然要看缘分。我们更应该去做的，是在别人需要喝水的时候，递给他们一杯水，而不是在他们不感到口渴的时候，强迫他们去喝水。你永远都要记住，虽然人的身体需要水、健康需要水，但我们毕竟不是卖水的角色。这水，就是智慧。我们所有传播的行为，包括口头的也罢，行为上的也罢，都是在诠释一种信仰，诠释一种思想，诠释一种智慧，其他的东西，不要管它。这就像我们做了一个很好的广告，看起来很像在卖水，但实际上只是在告诉别人：这里有水。需要水的人，他自然就会来找你。就是这样。

世界上的一切都是因缘聚合的，因缘不俱足的情况下，你的期待只会给自己增添烦恼。任何事情都是这样。好多人在心平气和的时候，也能接受这一点，但问题是这种心平气和并不稳定。我举个例子，你对金钱没有太大的执著，所以，赚不到钱的时候，你仍然活得非常开心、坦然；但是你执著于“情”字，所以，一旦你喜欢的女孩子不喜欢你，或者喜欢上别人的时候，你就会觉得非常痛苦，甚至感到一种妒忌与怨恨，这时候你的“心平气和”跑到哪里去了？所以说，好多人都要求自己活得平和一些，淡然一些，但是他们未必能真正做到这一点，因为这仅仅是一种世间法的修行，只要他们没有经过出世间法的修炼，就不可能得到一种没有任何缺陷的快乐。那么，出世间法的修炼指的是什么？就是放下、破执。主张破除执著，实现心灵的绝对自主与绝对自由，是佛家区别于其他宗教的地方。

有一天，一个学生对我说，她觉得自己非常幸运。为什么呢？因为她在最困难的时候见到了我，并且在我的引导下走入佛家，明白了生命的真谛和人生的真义，也找到了自己活着的意义。她说，身边好多人虽然比她拥有更多物质的东西，但他们的内心世界非常空虚，他们仍然在外部世界里寻寻觅觅，寻找一份安心，寻找一份真心的快乐，寻找一种真正的爱。他们的理想生活总是在彼岸，却不知道真正的珍宝就在自己的心里，也不知道那灵魂的引路人其实近在咫尺。关于这一点，有个网友曾经问我，为啥有的人远隔千里也要找到他生命中的善知识，但有的人就在大善知识身边，却毫不珍惜？我告诉他，这是因缘使然。世上有妙方无数，奈何人不愿喝药。所以说，相信良医并愿意喝药，是一个病人的幸运。

不过，愿意喝药也罢，不愿意喝药也罢，那都是人家自己的事情。我们希望给别人一份好心情的时候，就不能把自己的观点强加在别人的身上。要尊重他人，理解他人，对他人有一份包容，对他人有一份真心的爱，不要把别人当成任何工具，也不要利用别人达到自己的某种目的——即便他们也能因此而获利。不然，你的度众就变成了另外一种追求欲望的行为。一定要注意这一点。

11.
远离虚假的快乐

有人问我，一个人如何才能真正地快乐、真正地自由？我告诉他，放下，简单、朴素、干净地活着。如何放下？别管过去，别念未来，督摄六根，安住真心，做好眼前的事情。

做好眼前的事情听起来相当简单，但好多人都做不到。做不到的原因，在于我们总是在做事之前为自己设定了诸多的概念，在做事的过程当中，又有着诸多的算计与比较。当然，把事情做好，需要一些世间的经验与必要的思考，但是假如你过于看重这些东西，它们就只会给你带来负担，阻碍你专注地做好眼前的事情。所以说，当下的警觉相当重要。你一定要用智慧的眼光来观照自心，看看自己是安住于当下、用真心应世，还是跟随对境生起的妄念，陷入了烦恼当中？

我举个例子，有的人觉得，自己投入了大量的生命时间，就一定要写出一部非常畅销的作品，如果写不出这样一部作品，他的生命时间就被荒废了。那么，写作的时候，他就背负了一种巨大的压力。比如说，他会考虑到读者的偏好，然后根据这些东西来调整自己写作的方式，甚至调整自己写作的内容。当他在创作过程中掺杂了许多矫揉造作的东西时，他的作品就不可能真正地感动别人，他也不可能全然享受那写作的过程。当他的作品不被世界所认可，或者那种认可没有达到他的期待时，他的内心当中就会产生一种巨大的失落，认为这个世界不懂得欣赏他的心血与付出，因此变得焦虑烦恼，顾影自怜，甚至愤世嫉俗。

我跟别人不一样的是，我心里没有这些东西。我写作的时候，完全是在享受一种巨大的快乐。在这种快乐当中，文章像不断喷涌的泉水般，从我的自性中流出，我的心中甚至没有一个字。我不想执著地表达什么，也不知道该把自己定位成哪个“主义”。我的心中没有这些概念。我仅仅是享受写作的快乐，甚至不去考虑自己的东西是否能够照亮世界。我非常明白，能够照亮世界的，是我的心，而不是我的笔。我的笔，仅仅是心灵与世界交流的一种渠道、一种媒介。当然，我年轻的时候也刻意地进行过许多文学训练，但我始终更加重视人格的修炼。不管多么忙碌，我都不曾间断每天的严格修行，就是在这样的一种坚持当中，我才迎来顿悟，破除了对文学的执著，融入自然流露的快乐与诗意当中。

当你没有认知真心，不具有一双智慧之眼时，又该怎么办呢？你可以为自己选择一个参照，以他作为坐标来衡量自己的行为，时时观照，时时对照，时时自省，发现习气，及时清除。当你能发现自己的毛病时，说明你已得到了升华；当你没有发现自己的毛病时，说明你在欺骗自己；当你发现自己的毛病，却不去改正的时候，你就是在逃避。

我常说，好多人不是在自欺，就是在欺人，要么就是被人欺。为什么呢？因为好多人的眼里只能看到别人身上的毛病，却看不到自己的身上也有各种各样的毛病。有时候，我们看到的那些“毛病”，正好反映出我们自己内心的一种污垢，只是我们不愿意正视它，这就是自欺。比如，有的人听说比尔·盖茨将所有钱都用于发展慈善事业的时候，就纷纷猜测他行为背后的动机，其原因就在于他们不愿意相信有人比自己更伟大、更高尚。我们不但不愿意承认自己不够伟大，还要用某种借口来为自己开脱。

这个世界上，好多人都在自欺欺人，他们为什么要这么做呢？因为他们想要逃避某种东西。什么东西呢？良心的谴责。比如，当那些人想要寻找比尔·盖茨行善背后的动机，却找不到的时候，他们就会说："我当然做不到这一点，因为我不像他那么有钱，而且我还要养家糊口。"那些真正无我的圣者心中有这种东西吗？没有，他仅仅是做了一件让别人快乐也让自己觉得快乐的事情，他不需要像好多人那样，寻找一种行为背后的合理性，他也并不在乎那种合理性。为什么不在乎呢？因为他在一种无私的大爱之中，已经忘掉了自己的好多东西。当一个人做到"无我"的时候，他不会在乎别人怎么看待自己，他牵挂的是这个世界，而不是自己的好多得失，他希望在自己还活着的时候，能为这个世界创造一种大美大善的东西，能让这个世界因为自己的存在而更加美好。此外的好多东西，比如别人能不能理解他，别人能不能像他那样去付出，他并不在意。他已经忘记了自己。忘记了自己的时候，才能赢得世界。这就是我说的"大舍大取"。

好多人都向往大善和大美，但我们仍然做不到这一点，因为我们的心里有一个实实在在的"我"，因此就有了"我的"得失、"我的"事业、"我的"利益、"我的"财产，等等。我们不知道，包括"我"在内的所有东西，都是因缘聚合之物，缘聚则生，缘散则灭，不断变幻，不可能永恒。不明白这一点的时候，我们往往会认假成真，执著于这些虚幻之物。那许许多多的执著，就像铁链一样，牢牢束缚着我们，桎梏着我们的自由，使我们不能放下一切，听从内心最深切的呼唤，去做一些我们真正需要去做、也应该去做的事情。

当我们违背内心最真实的期盼，不由自主地守护欲望、追逐欲望时，我们当然不会是坦然的。我举个例子，一匹原本野性十足的野马被缰绳所驯服，违背了自由奔跑、向往自然的本性，受制于现成的粮草与水源，明知那臣服导致自己受到奴役，却已失去了改变的勇气与念想，你说它们会感到由衷的快乐吗？不快乐，但又缺乏改变的勇气和信心时，它们只能用幸福的假象蒙住自己的双眼，作意地享受那愚痴之乐，无奈地活着。

这一切，我们的良心都看得清清楚楚。什么是“良心”？它是我们所说的自性、真心，它是真正的“神”。无论我们经历了什么，无论我们正在哪个年龄阶段，无论我们处于什么样的生命状态，真心都一直陪伴着我们，无生无灭，无减无增，无始无终。当你能安住当下、守住真心的时候，自然能不离善行、不离善念，因为在真心的光明朗照之下，你没有半点执著与欲望的渣滓。你无所畏惧，也不觉得有啥好畏惧的东西；你啥都不在乎，也不觉得有啥值得在乎的东西。这时候，你才可能放下一切，成为自己真正的主宰，不再被欲望与执著所奴役。这种全然的自主，才是真正的快乐、自在、坦然。

12.
精神的呼吸

好多人在面对生活的时候，总会把信仰和修行给忘掉，似乎他总是穿行于两个互不相干的国度。事实上不是这样的。我们之所以要修行，就是为了生活得明白、快乐、开心，而不是为了在生活之外再去找一个什么东西。所以我常把智慧比喻成水，不管你用什么杯子盛那智慧之水，它都能解除你灵魂的焦渴。就是说，有了真正的智慧之后，你所有的行为——日常生活也罢，工作也罢，什么也罢——都是智慧的化现。这就像，无论穿西装还是休闲服，我都是雪漠。不是说我穿休闲服的时候就是雪漠，穿西装的时候，就变成了另外一个人。不是这样的。能生起妙用的才是智慧，生搬硬套的，仅仅是知识。当然，知识也能改变你的生活，但这种改变仅限于物质层面，它很难对心灵产生非常大的影响。除非在那知识的熏陶下，你能真正地改变心灵和行为，那知识才能升华为智慧。

我举个例子，这个时代有好多人都喜欢上网搜索一些东西，用许许多多的概念来填充自己。这也很好。但问题在于，网页能让你找到活着的意义吗？能让你学会珍惜，能让你懂得什么叫爱吗？恐怕不行。它能带给你的，仅仅是一些非常苍白的概念。

我有个学生，在认识我之前，她是通过背诵名人名言来成长的。这样的成长也很好，但后来她发现，自己虽然背下了好多东西，却并不能真正地妙用它们，尤其是缺乏一种心灵层面的感受。这些知识就像没有消化的食物一样，给她造成了一种先入为主的东西、一种认知的障碍，使她无法用一种非常单纯的心去感受这个世界，感受文字背后的精神。当你感受不到文字所承载的那个世界时，你就无法跟书中的伟人真正地交流。我在顿悟之前，也是靠读书长大的，但我的读书跟别人不太一样，我一直都在跟书中的大师们交谈，将他们的观点与生命体验，化为我心灵的营养，让自己一天天长大。所以，书本对我来说，不是桎梏，不是教条，而是非常鲜活的营养，是能够被完全吸收的精神食粮。如果你靠填鸭式的方法来读书，那么你获得的就不可能是心灵营养，而仅仅是一些信息与标签。

老子说："为学日增，为道日损，损之又损，以至于无为，无为而无不为。"这句话说的便是知识与智慧之间的区别。什么区别呢？前者有为，而后者无为。无为，才能无不为。就是说，学习各个领域的知识时，你确实需要不断地吸纳，但你始终要明白，吸纳知识是为了把它转化为各种各样的营养，滋养你的心灵，而不是用一种生硬的形式和概念，来束缚你心灵的自由。相反，这些形式和概念，都是你要从心里清扫出去的东西。你要不断从心里扫去一些贪婪，扫去一些无知，扫去一些仇恨，扫去一些嫉妒，扫去一些傲慢，扫去所有污染了你真心的东西。当你扫去这些污垢，还原了真心的纯净时，你才能感受到这个世界的丰富多彩，才能听到响遍这个世界的天籁。

此外，你不要去在乎好多东西。一定要明白，生活中的一切，世界上的一切，都是你调心的道具，甚至包括一些被普遍认为是灾难的东西。因为，只有在面对世界上纷纷扰扰的现象时，你才会知道自己是不是真的能随顺因缘，保持觉性。而那些现象本身，只是一个又一个的记忆水泡，在远去的岁月河流中破灭着，没有什么真正的意义。

但是好多人都不明白这一点。不明白这一点的人，往往就会觉得自己被命运推着走。殊不知，所谓命运，也是由自己的心和习气所操控的。许多时候，心变了，未来也就变了。所以，当你觉得自己被命运推着走的时候，一定要明白，让你非常无奈的，并不是老天爷，而是你自己的心和习气。比如，好多人都说“人在江湖，身不由己”，但这仅仅是一种借口。为什么这么说？因为，“江湖”实际上就是我们自己选择的生存环境，我们选择了什么样的江湖，就必须面对什么样的江湖。你选择在下雨天上街，就不该因为雨水打湿你的裤脚而抱怨老天爷。

你一定要明白，假如你拥有一颗自由自主的心，什么样的江湖都不会变成你的枷锁，它们只会为你提供展示自己的平台、磨炼自己的道场。那么，什么才是你的枷锁呢？是欲望。生活中所有的烦恼都源自欲望，欲望生起贪婪，欲望引起仇恨，欲望加深愚昧，欲望让人嫉妒。不过，无论多么巨大的欲望，都不过是一种情绪，它是不会长久的。当我们认识到这一点时，不随念头而去，欲望的力量便终究会消失。

不要害怕这个世界，更不要抗拒它，要享受它，享受你的生命，当然也包括享受修行。如果你无法身出离地修行，不妨专注工作，心无旁骛。要是能安住于当下，以出世之心做入世之事，便是最好的修行。你完全不用把修行与工作分开。要知道，真正的修行如呼吸，并不曾离开过你。关于这一点，我写过一首这样的偈子："真心照万物，万物自清明。不将分别意，扰乱自家心。世上本无事，奈何自乱心？聊将旧时意，化为朗月明。"这首偈子的意思是说，当你安住于真心，用智慧来观照每一个当下的时候，就会发现，世界上的一切都非常圆融，没有障碍，没有磨难，也没有任何折磨你的东西。以往干扰着你，折磨着你，让你心乱如麻的，不是外部世界，仅仅是你自己的分别心，是你心中的好多偏见与概念。所以说，想要让自己安心，过得快乐无忧，就要放下一切，随缘应世，让所有妄念都在真心的净光中融化得一干二净，让智慧的太阳照亮你的整个生命。

13.
给身边的人一份微笑与关怀

牢牢记住面对死亡时的那种感悟和觉受，能够让一个人在生活中保持一种出离心，这是有利于修道的。但问题是，有的人在面对死亡的时候，虽然也厌离了红尘，但他并没有找到生命的意义。其原因在于他没有信仰。信仰丧失会导致一个人精神世界的倒塌，他盼望的东西消失了，没有盼头了，就会觉得做什么事情都没有意义。把世俗中的好多东西作为信仰的人，就会存在着这样的问题。比如，好多人把爱人或者亲人当成信仰，当成灵魂支柱，但人总免不了要死的，爱人有时候还会变心，那么当这些人离开他的生命时，他的灵魂支柱就会坍塌，他的灵魂就会失去支点，在一片可怕的空虚之中飘摇。什么叫空虚？当一个人找不到生命的意义，生命时空中也没有正业的时候，他就会陷入一种行尸走肉般的状态，这种状态就叫空虚。你一旦陷入这样的一种状态当中，心灵就会被负面的东西占有。这就像一块土地如果不种庄稼，就可能会长满杂草。这就是心灵出现的问题。

而且，现在的媒体中，能为这个地球、整个人类带来正面影响的并不多。当我们翻开所有的报纸，大部分内容都是欲望性的东西，包括大篇大篇带有煽动性、诱惑性语气的文章。大量负面信息激活了人们的欲望，煽动欲望的东西又充斥了整个市场，社会上缺乏一种正面的、非常清凉的文化导向。人长期生活在这样一种环境当中，为了满足私欲而做出诸多罪恶的行为时，他的心灵就会逐渐扭曲。以前，有人在俄罗斯等好多地方，都会看到有人在街头读书，但在我们这个时代的许多城市当中，读书的人已经很少了，学生们也仅仅在读一些消遣的书。那些对心灵有指引，对灵魂有正面影响的书，问津的人非常少。所以，这种文化教育与文化土壤也给人的心灵带来了不好的影响。这是一种不好的文化。这时候，如果一个人的心灵不够强大，或者找不到一个稳定的灵魂标杆时，他的心理就会出现问题。

所以说，当你看到世界上有一些人犯了严重的错误时，你仍然要明白，他们也是文化的受害者。当然，有的时候，他们本身的基因方面就存在着某种缺陷，他们既感染了文化的病毒，又有先天的生理缺陷，在这些因素的影响下，他们控制不了自己的心。对于这些人，我们不但不应该仇恨他们，还应该给他们更多的关爱。

我举个例子，我曾在教委工作时，帮过一个朋友，也许是我的方法不妥，造成了误解，他将我对他的帮助当成了一种屈辱，所以后来给我制造了一些违缘。但这倒成了我离开武威的一个助缘。后来，虽然时不时就听到他对我的诽谤，但我一直没有做出回应。因为我明白，他那“做”和“说”，仅仅是一种情绪，情绪过后，他就会慢慢变化的，所以没啥值得在乎的。我反而老是劝那些为我抱不平的朋友不要恨他，仍然要帮助他。我甚至将他当成了我命运中的逆行菩萨。真的，要是没有那些逆行菩萨，我可能直到今天还待在武威某个机关，整天开会应酬，哪有时间写作和修行？更不可能定居岭南，从此拥有了另一个跟凉州文化迥异的文化宝库。所以，许多时候，我们实在不要在乎那些在一般人眼中的违缘。对于智者来说，一切违缘皆是生命的营养。

所以，我们要用微笑来对待一切。有时候，一个微笑可以改变一个人的命运。不是说心理上、生理上有缺陷的人不可能健康地度过一生，不是这样的。就像一个有毒的种子，你不给它生长的土壤，不给它水分，不给它阳光的时候，这个种子就结不出果实，它永远都只是一个种子。若是出现另一种因缘，那恶的种子还可能腐朽。就是说，当一些生理或者心理有缺陷的人，遇到很好的教育环境，得到一些很好的助缘之后，他们也会变得越来越好。我的很多朋友都是这样，有好多暴躁的朋友通过一种传统文化的熏陶，变得非常和蔼。历史上也充满了这样的例子。比如，一些杀人犯，或者隐性的“杀人犯”，通过一种非常好的传统文化训练，最后变好的也很多。最典型的例子就是，藏地有个叫密勒日巴的人，他非常有名，年轻时他用一种特殊的方式诛杀了很多人，但是后来他变成了一个非常伟大的成就者。这种例子很多很多。许多时候，我们的一个微笑就可以改变一个人的心灵，微笑就像一缕阳光，当这缕阳光进入一个漆黑的屋子时，就会驱散黑夜。我们每个人的一点善念、一点善心，就像一根蜡烛，点亮这根蜡烛，让光明进入黑屋子的时候，屋子里所有的黑暗都会被驱散。

所以说，每个人多一份关爱，多一份微笑，多一份同情，多一份慈悲的时候，身边的许许多多人都会被磁化。而且，现代科学发现，人的思维有它的频率。幸福有幸福的频率，痛苦有痛苦的频率。当一个人以爱与慈悲的心对待世界时，他的身边就会形成一种充满爱与慈悲的生物场，柔和且安详，这可以引起周围同频磁场的共振，形成一种非常和谐的环境。这就是为什么当我们进入寺院的时候，自然会变得非常安详的原因。因为，进入寺院的时候，许多人都有一份恭敬、慈爱的心，诸多人的慈爱之心会发出慈爱的生物场，环境就会变得非常安详。当我们到一个喧闹的地方，大家觉得非常烦躁，因为那个场合中许多人充满着欲望与贪婪的时候，他的生物场就会发出相同的频率，与我们心中相同的欲望达成共振，令我们也变得非常烦躁。这些观点都是由科学验证过的。

这种慈爱与关怀不是说你对我好，或者你是我的亲人、朋友，我就对你有这样的一种情绪，而是一个人内心本具的东西，它无须由外界的东西激发出来，佛家把它叫作“无缘大慈，同体大悲”，它是一种境界，悲智双运，才能达到。如果只修智慧而不发菩提心，就无法达到这种境界。发大心，就是一个用巨大的善念来熏染自己的过程，做利众之事，也是用大善熏染自己的过程。当你无时无刻不处于光明当中的时候，就会放大内心的光明，进而融入甚至变成那光明，你自然会拥有一种毫不造作的大慈悲。

一定要明白，慈悲不是小小的同情心，同情心仍需要外境去激发，但慈悲不是这样，慈悲是因为明白而存在的。当你真正明白一种真理的时候，就会发现，世界上没有任何的烦恼，没有任何值得你感到痛苦焦虑的东西，因为一切都会过去，一切都是了不可得的记忆，但是世人不明白这一点。不明白这一点的时候，他们就会认假成真，追逐欲望与情绪，把自己的生活搞得一团糟，并且陷入妄心编织的痛苦当中，在虚幻当中堕落，在虚幻当中烦恼，在虚幻当中被时光的海浪所淹没。你知道他们因为不明白而承受了许多他们本无须去承受的痛苦，你因此而对他们感到一种悲悯。这种悲悯与究竟智慧，及你所感到的大乐是一体的。

14.
倡导善高于谴责恶

在汶川地震的时候，有个朋友对我说，灾难发生的时候，那么多的国人都表现出一种巨大的关爱。

我告诉他，我们的慈悲心和同情心不应该非要借助于一场巨大的灾难，用许多人的生命作为代价才能被激活。不应该这样。我说，我们宁愿不要这场灾难，我们宁愿关爱身边的每一个人，关爱朋友，关爱环境，让大自然与我们和谐相处，不要发生这种灾难。如果只有出现这样一种灾难，才能激活你的同情心，我宁愿不要这种同情心。为什么非要借助于一场地震，让那块土地充满尸体、充满血腥、充满废墟，才能激活我们心中善的种子呢？事实上，每一个人心中都有一颗非常好的种子，我们的祖宗称之为“良心”，每个人都有良心。当汶川大地震发生的时候，每一个人都发现了自己的良心。在那一刻，互不认识的人类成了一体，同属于这个地球。我们要进一步思考，没有地震与灾难的时候，我们的心能不能也变得更慈悲一些？要达成这一点，有个非常重要的契机，就是要有正确的导向。

所谓正确的导向，就是让每一个拥有影响力的媒体，让每一个拥有话语权的人，我们称之为名人也罢，学者也罢，让每一个推广文化的团体渐渐把这种理念传播开来，让汶川大地震激活的同情心变成我们大家的生活习惯，变成我们的日常行为，像呼吸一样，不要离开我们的生命。我们要善待身边的每一个人，当他们需要帮助的时候，我们要伸出援助之手；当他们烦恼的时候，我们要给他们微笑，给他们力所能及的关爱，给他们一份既能让他们得益，也能让我们的心灵得到升华的帮助。许多时候，帮助别人其实就是在帮助我们自己，因为你在帮助别人的同时，也在升华着自己的生命，实现着自己的价值。如果你是个自私的小人，但却通过一份关爱，让这个世界得到了一种善意的帮助，那么你就会一天天远离狭小，远离自私，变得博大，变成君子，变成这个社会上每个人都爱戴的人，这就是生命的升华。每一个人的价值都是他的行为，没有行为就没有价值，所以，我希望不仅仅是某个团体或者某个人，而是每一个人，都要把这种理念传播开来，让善的频率，让善文化的思维波充满整个世界，然后，让更多人得到磁化，引起共振，建立真正意义上的和谐社会，而不仅仅是一种和谐的表象。

现在非常不好的一点是什么呢？就是现在许多媒体的报道中，都把“恶”当成一种吸引眼球的手段，他们不是试图用自己的正义去改变这种状况，从根源处扭转这些罪恶，而是在许多煽情的报道中，用一种非常血腥的描述吸引人的眼球，但又不告诉他们：这些凶手是一些病人，他们是不正常的，他们比正常人更需要社会的关爱。如果在心中的炸药堆快要爆发的时候，他们接触到的，不是人们的冷漠，而是善意的笑容和帮助，那么他们也许就不会变成凶手。传播罪恶和加重嗔恨的报道不是一种正面的行为，它不能挽救目前的这种状况，更不可能改变这种滋养恶的土壤。这时候，铺天盖地的报道也变成了一种恶的东西，它们用一种巨大的心理暗示，激活着一些人心中的暴力欲望，让无数个潜在凶手蠢蠢欲动。如果这些报道能告诉他们，那些以这种行为来报复社会的人都是一些病人，是不正常的，那么他们或许就不会去杀人了。但是，同样是这样的一个话题，当它被想制造新闻效应的某个记者，用了一种血腥的或者带有其他某种不太健康的笔调传达出去，被潜在凶手读到的时候，那潜在凶手可能也会想要像报道中的人那样去做。比如，我有个朋友，他想办个事情，但是多次遭到某机关的拒绝，他说，我差点做出过激的事情。为什么呢？因为他曾经看过诸如此类的报道。这样的报道是一个恶的种子，这个种子在他看到报道的时候，就已经种在了他的心里。每次在社会中受到一种挫折和挤压的时候，他就会想起这个报道，重温那个罪恶的念头。当他无数次重温这个念头，到了一定程度的时候，他就会像精神病患者一样被这样的理念所控制，他的心灵会陷入困境，最后形成思维定式，可能他就会成为凶手。

比如，一栋楼房的一块窗玻璃被人用石头给打碎了，如果那玻璃很快就被补上的话，这栋楼房就不会再出现破玻璃窗；但是谁都不理的话，就会有好多人都想用石头去打那玻璃。这就是一种负面的信息、负面的暗示。现代社会有好多人都没有认识自己，身边又存在着各种各样的负面信息、负面暗示，那么他们就很容易被那些负面的东西所污染。

所以说，单纯地谴责恶是不够的，西方前些时候很流行吸引力定律，它同样认为，谴责恶远远不如倡导善来得好。为什么呢？因为，当诸多人在谴责恶的时候，这许许多多的谴责就变成了一种自我暗示，它会将很多罪恶的信息种入人们的内心深处，对他们造成非常不好的影响。所以，对善的倡导，应当远远大于对恶的谴责。倡导一种善的东西时，这种心理暗示就会形成一片善美的土壤，这种非常善美的土壤，会给人们一种非常好的熏陶。比如，社会上出现许多雷锋、孔繁森这类的人物时，就会有很多人想要学习雷锋、学习孔繁森；当很多人都在为汶川捐款的时候，最吝啬的人也会去捐款。